EL VIAJE DE RESURRECCIÓN

MANDALA
EDICIONES

c/ Treviño, 9 bj.izq.
28003 Madrid (España)
tel: +34 917553877
www.mandalaediciones.com

I.S.B.N. 978-84-8352-976-8
Depósito legal: M-35028-2014

Diseño: Diana Marcela Ramos Pulido
Fotografías: Juan Carlos G. Alarcón
Imprime: Solar
Impreso en México
en papel ecológico

Feliz cristaliza el sueño de volar por la atmósfera planetaria: transmutado cuerpo en aire puro, oleaje de nubes blanquísimas, fumarolas solares traslúcidas, relámpagos sonoros, rayos deslumbrantes, lluvia bendita, arco iris profético, lagos espejos del alma, ríos cristalinos del ser, montañas generadoras de oxígeno, océano dador de vida, parvadas negruzcas de aves mensajeras alineadas en uve revoloteando alegres golondrinas, palomas, zanates entre las ramas del ciruelo despiden otro ocaso del congelador invierno. Dos de sus hermanos entran en el departamento a ocupar sendos sillones dentro de la sala.

-Acabo de renunciar a mi cargo en la administración pública porque no me apoyaba el gobernador, expresa el político. Durante nueve meses nunca me concedió una audiencia el desdichado. Sin recursos económicos, humanos y materiales para trabajar en bien de la naturaleza de este estado era un funcionario de ornato. Y no sirvo para eso. ¿Sólo para cobrar las quincenas y los bonos mensuales? ¿Sin hacer nada? Como le hacen muchos burócratas flojos. ¡No!

-En otras palabras, hermano, interviene el periodista, se va a tomar unas vacaciones.

-Muy necesarias, acota el admirador de Mahatma Gandhi sin perder el aplomo. Con el propósito de recuperar energías. Bajé del Proscenium con la frente en alto, voy a situarme junto a los espectadores. Me cansé de participar en la Obra Política representando mi personaje de Honesto, inherente a nuestro espíritu, el único que puedo interpretar. La mayoría de los actores políticos son Deshonestos, Simuladores, Chantajistas, Manipuladores, Mentirosos, Corruptos y Ladrones. Su naturaleza negativa, oscura, maligna infecta a los reinos humano, animal, vegetal y mineral. Toda forma de materia. Si seguía ahí me iba a contaminar, a enfermar.

-Nuestro hermano renunció por dignidad y por ética y le doy toda la razón, dice el periodista. ¡Yo hubiera hecho lo mismo!

-Estoy de acuerdo por esa actitud valiente. ¿Ahora qué harás?, indaga el escritor.

-Aún no lo sé. Por lo pronto voy a olvidar todo lo vivido. No quiero saber nada de estos rumbos. Descansaré unas semanas lejos de aquí. Tal vez viaje al extranjero. Quiero sanar mi alma, mi espíritu. Pero antes de ausentarme te queremos entregar un obsequio que...

-¡Preparé para ti!, interrumpe el periodista. Ojalá lo aproveches. Toma.

-¿Y esto qué es?, pregunta el escritor.

-¡Ya lo verás!

-Nos vamos. Te visitamos el domingo como de costumbre.

-Aquí nos veremos. Gracias por el regalo.

-De nada.

En cuanto se retiran, el escritor cierra la puerta de entrada al departamento, abre el paquete, lee un fragmento de la primera de un bonche de hojas escritas a máquina: 'Entre estas líneas conocerás la peligrosa selva de la política con sus especímenes feroces de diversas corrientes ideológicas: devoradores de recursos materiales, humanos, financieros, solapados por un Ejecutivo estatal, como ellos, salvaje, caníbal. El joven protagonista de esta historia enfrentó al monstruo-Estado en su escabroso camino por tratar de que la situación ambiental, social, educativa, cultural y económica cambiara en las Siete Regiones Surianas. Con voluntad de héroe templó el espíritu ante desengaños, desilusiones, decepciones, traiciones, tentaciones de corrupción de cada día'¨. De repente una turbulencia sacude el avión de arriba abajo; siente como si le jalaran el asiento y cayera en picada vertiginosa; vuelan las hojas sobre la carpeta; ¡ay, Dios mío!, ¡ay, mi madre!, gritos de señoras, jovencitas, niños, ay, ay, ay, saltan entre los hileras de asientos, por el pasillo central único, los sanitarios, hasta estrellarse en la cabina de los pilotos. Él, inmutable, sereno, ordena los papeles, confirma que el cinturón de seguridad esté bien sujeto a su pecho, endereza la columna vertebral, el cuello, la cabeza. Termina por acomodarse perfectamente en el espacio acolchonado de menos de cincuenta centímetros de ancho. Se persigna y encomienda otra vez a todas las vírgenes del mundo. El avión silencioso sigue penetrando la atmósfera en su trayectoria precisa frontal, a unos cuatrocientos kilómetros por hora, con los motores turbopropulsores a regular potencia, colocados aerodinámicamente abajo, en el fuselaje estrecho. Según las estadísticas de los accidentes de la aviación mundial es poco probable que se caiga el pájaro de acero. Salvo si lo hicieran explotar pasajeros terroristas suicidas con las bombas prensadas en su pecho y espalda. Algo prácticamente imposible, de apegarse a los últimos reportes estadísticos, sólo sucedido en las películas hollywoodenses, respira relajado viendo nuevamente a su derecha, a través de la ventanilla de plástico acrílico, más allá de la hélice rotatoria velocísima de seis aspas, un majestuoso mar algodonado. Agudiza los oídos: Ya se pusieron de acuerdo los miles de estudiantes y padres de familia, van a quemar las combis y los microbuses del servicio público. ¡Venga y compre su periódico! Entérese y dese cuenta quiénes están organizando las marchas de protesta por el alza del pasaje. Finalmente el pueblo se hará justicia por su propia mano. ¡Que no le cuenten, no le digan! Cheque por qué no actúa el timorato gobernador en contra de los voraces permisionarios. ¡Aquí le tengo toda la información! Acérquese al aparato de sonido. ¡Señora, señor! Hoy van a iniciar las manifestaciones. Van a desquiciar la ciudad. No se quede con la duda. Aquí le tengo lo quee buusscaa eenn iinn-foorr-maaa-cióóónnn... oopooortunna y veerrazz… la voz del hombre desaparece calle abajo. La gigantesca alfombra blanquecina ondula ligeramente sobre el ala metálica derecha del avión hasta perderse en el horizonte justo por el borde del planeta. El vuelo estabilizado de nuevo va viento en popa: afuera, en el patio de la vecindad, no hay nadie, sorprende la ausencia de ruidos juguetones con el aire del atardecer; solamente aletea frente a la nariz un olorcito muy agradable procedente del departamento contiguo. Qué agasajo se estará dando la pareja de recién casados. No es un simple caldo, caldo de pollo, sino una barbacoa hecha y derecha. ¡Doña Barbacoa! A eso huele, a barbacoa. Por un acto reflejo su lengua remoja los labios. Éstos reciben con agrado la untada de saliva. Visualizarse compartiendo tal banquetazo culinario le despierta mucho el apetito.

-¿Disculpe, señor? ¿Va a comer? Repica una voz de ángel dentro de sus tímpanos con acento simpático caribeño. Es alta, bonita, joven. Tiene alas rubias.

-Sí, gracias.

Instantáneamente aparece frente a su boca un plato atiborrado de comida: filete de pescado, jugo de naranja, pan blanco y dulce, café, ensalada de verduras, spaghetti, papas y una manzana.

-Provecho señor, susurra la mujer.

-Muchas gracias.

A su lado, un hombre, de unos sesenta años, de piel de pollo refrigerado -en su cuello se acentúa más la fría tonalidad-, mastica con desesperación voraz. Inspirado por esos movimientos de cachetes y mandíbula que trituran a indefensa carne de pescado él hará lo propio pero con mucha lentitud. Gracias Dios, naturaleza, vida, universo, por nutrir este organismo mediante sanos alimentos. Por esta circunstancia memorable. La dicha de volar con libertad, sin estar atado a la pegajosa fuerza gravitatoria, muy lejos de la superficie del planeta, acariciando las nubes, el arco iris, el corazón del cielo. Infinidad de veces lo imaginé desde niño cuando en mi tierra veía aviones de propulsión a chorro surcar los aires azules dejando un manchón grisáceo como volutas de humo de cigarro en medio de las nubes.

A pocos minutos quedan escasas huellas de alimento en los recipientes que la azafata rubia de coqueta sonrisa se lleva caminando seductoramente por el esbelto pasillo en dirección al carrito metálico portador de los trastes. Los ronquidos del hombre, dormido en las profundidades del océano de la inconciencia, le distraen en su labor de ordenar cientos de recuerdos de su pasado inmediato. Anhela compartirlos con muchos ciudadanos del mundo. Sea su hermano escritor quien novele, si vale en algo, su historia personal, plasme en un libro su aventura como actor social ambientalista. Pronto le entregarán las casi quinientas cuartillas que su hermano periodista publicó durante nueve meses, ininterrumpidamente, de lunes a viernes, en un periódico de la capital suriana en forma de columna periodística-literaria: sobre su vivencia de funcionario en la administración pública estatal. ¡A todo vapor tecleará en próximos días, semanas, meses! Aldkfdiurfdm, slerriifgkksd, asldldiriryñe: las ruedas del avión rechinan sobre la pista de aterrizaje: vfgrsdfkr, erifskfdfj, lfiierssd. El ajetreo de los pasajeros por el pasillo anuncia el exitoso arribo al aeropuerto. Se desabrocha el cinturón de seguridad. ¡Click! Su efímero acompañante ya no está. Estira las piernas, los brazos, los músculos del cuerpo entero. Respira pausadamente. A la cuarta bocanada de aire sale del asiento. Baja su portafolio del compartimento de arriba, guarda en éste la carpeta con las hojas escritas a máquina mecánica. Ya despabilado persigue la estela bulliciosa. Las azafatas lo despiden con una sonrisa eterna deseándole feliz estadía. Rumbo a la salida desliza los zapatos de charol por unos corredores relucientes que desembocan al bajar unas amplias gradas en un recinto donde obstaculizan el paso las casetas de la aduana. Mientras le anuncian su turno para cruzar se acerca a un estante metálico con periódicos. Coge uno. Es tamaño tabloide. En la parte de abajo tiene el nombre: Palante. Muestra un solo encabezado que cubre media página: Liberen a Elián. El resto lo tapiza una caricatura: un señor mundo, molesto, dice: Cometiste el error del milenio y señala con un dedo acusador a cierto pajarraco monstruoso de ojos insensibles, cuya cabeza la tapa un gorro negro alargado, típico de presentador en una función de circo, forrado de una bandera de barras y estrellas. El animal ase con la pezuña izquierda una jaula pequeña que tiene atrapado a un niño lloroso agarrándose a los barrotes. Mete el periódico en el portafolio. Al pasar por la caseta de revisión de pasaportes y visas le llama la atención la camisa del empleado, de tela casi transparente, verde olivo. Nada parecida a las camisolas gruesas, de tela fina, del presidente de ese país, tal lo viera muchas veces por televisión.

-¿Su primera vez en la isla?, le pregunta el señor de pelo negro chino.

-Así es señor, contesta el hombre.

El empleado de la aduana lo mira fijamente. Trata de convencerse de que sea el mismo individuo: el visto en vivo y a todo color por la ventanilla, y el de la foto del pasaporte; en ambos casos con rasgos de razas ancestrales del continente americano mezcladas inconfundiblemente con las venidas hacía siglos de la vieja Europa, deduce el aduanero con ojos saltones. Repetido el minucioso proceso de comparación varias veces, a fin de constatar los evidentes rasgos de una nueva raza surgida hacía unos cuatrocientos años en el centro del continente, satisfecho de poner a prueba sus conocimientos de historia contemporánea y universal, aprendidos en sus cursos de capacitación turística, le vocifera al entregarle los documentos:

-Sí, sí es usted, señor. Ya no tengo dudas. Bienvenido, señor extranjero.

-¡Gracias!

El turista persigue las huellas de los demás pasajeros. Algunas mujeres, con las bolsas de piel inseparables colgando del hombro o del brazo, se colorean los labios viéndose reflejadas hermosamente en la superficie de diminutos espejos. Jóvenes y señores de andar apresurado alisan sus cabellos mediante peines imaginarios sujetos entre las manos. Todos son detenidos frente a unas mesas por dos uniformadas que con un aparato, semejante a una macana negra detectora de armas, frotan brazos y piernas, ¡arriba!, ¡abajo!, ¡en medio y por detrás! Superada la prueba recoge sus dos maletas de la lenta banda giratoria de desembarque. Pasa a la sala de espera. Ahí, estupefacto, encuentra un intempestivo huracán de miradas ansiosas de arrancar sonrisas conocidas de cuanto pasajero aparece despabilándose con los ojos lagañosos.

-¡Bienvenido a la Isla del Ensueño, don Demóstenes Tlalmanalco!, resalta un letrero con letras rojas fosforescentes sobre el tumulto de gente.

Se acerca al hombre que sostiene con fuerza, muy orgulloso, el rótulo cuidadosamente pintado en una cartulina rectangular blanca. Deposita las maletas en el piso. Tendiéndole la mano le expresa:

-Gracias por esperarme, mi estimado.

-Soy Duniesky León del Río, lo saluda con muchos bríos el hombre. Estoy a sus respetables órdenes como representante en este sublime puño de tierra de la Agencia de Viajes Atours, de Cueraca. ¿Me muestra su identificación, por favor? ¡Es puro formulismo!

-Desde luego.

Demóstenes le enseña el pasaporte. El servidor turístico coteja el nombre escrito en éste y el de su libreta y cartulina; compara la cara seria de la foto del documento y la del entrecejo fruncido a la altura de su rostro, de una raza híbrida enriquecedora de la humanidad desde hacía varios siglos, infiere complacido por su sapiencia, producto de sus cursos de capacitación turística. Entonces le pide a Demóstenes, de favor, si puede hacer un poquitico de tiempo en la cafetería. Le explica, amablemente, que aún no pueden irse al hotel para hospedarlo pues espera a otro pasajero.

-Disculpe usted, don Demós.

-No se preocupe, Lunas...

-¡Dunieski! ¡Duu-nii-ees-kii!

-¡Eso, eso! No hay problema. No tengo prisa. Iré a hablar por teléfono.

-Excelente idea, don Demós. Claro, mire, las casetas telefónicas están allá afuera. Si usted camina hacia los taxis seguro las hallará enseguidita. Allá venden las tarjetas para el uso del teléfono.

-Muy bien. Gracias.

-Vaya usted con confianza. Enseguida nos vemos. Aquí me halla. Yo de aquí no me muevo, hombre.

Carga nuevamente las maletas y el portafolio. Tal ejercicio le ayudará, cree de corazón, a activar el cuerpo, a oxigenar los pulmones, purificar la sangre, irrigar el cerebro y todo el organismo de oxígeno y sangre puros. En suma, sudar y quemar algo de grasa para reducir el volumen de la barriga.

Esquivando uno tras otro a los taxistas insistentes que ofrecen llevarlo al hotel logra entrar en la caseta telefónica. Dos mujeres sentadas en sillas de plástico blancas le sonríen amistosas.

-¿Usted está llegando a la isla del amor o se está yendo?, le pregunta una de ellas.

-La piso en este momento.

-¿Su primera vez?

-Sí. ¿Y ustedes?

-No, nosotra no vamo a ningún lado. Somo nativas de aquí.

-¿Viene en plan de paseo o por cuestiones de trabajo, señor?

-De paseo... digamos.

-Bueno... si usted viene a divertirse la va a pasa muy rico. No le van a faltar lugare.

-¿Y mujeres?

-¡Las que usted quiera, hombre! Aquí hay de sobra. ¡De todo tamaño y colore!

-¿Ustedes... por ejemplo?

-¿Nosotra?

-¡Ya usted ha conocido a dos... por ejemplo!

-Digo, podría saludarlas algún día de estos...

-Sí... por qué no... señó...

-Chica, este es un macho, luego se ve, ¿verdad, usted?

-Así es, señorita. Gracias a Dios.

Las mujeres destellan unas sonrisas aproximadas de cuarenta años de edad. Morenas de ojos negros, vestidas de falda corta, mueven las piernas robustas, abriéndolas, cerrándolas como si fueran un acordeón y tocaran suavemente, abanicándose, la melodía del amor carnal eterno.

-¡Esto de aquí es el paraíso, chico!

-¡Me imagino!

-¿Y cómo tú te llama?

-Me llamo Demóstenes. ¿Y ustedes?

-¿De demmo qué, chico?

-Dee-móós-tee-nees.

-Bueno, bueno, señor: ella es Consuelo y yo soy Hortensia.

-Mucho gusto. ¿Y entonces cómo quedamos?

-¿Quedamo de qué, chico?

-¿Las puedo saludar alguna vez... para invitarlas a salir...?

-Bueno... Mira... Aquí te voy a anotar los números de teléfono. En cualquiera nos puedes encontrar.

-Muy bien. Les hablo en cuanto me instale en el hotel. Ya tengo que irme.

-Chao, extranjero, chao, turista.

Regresa a ver al ruso o polaco o checo o ucraniano o checheno. No sabe definir exactamente su nacionalidad. El pelo rubio, los ojos verdes y la piel güera evidencian ser claros vestigios de las tierras heladas del otro lado del mundo. Reminiscencias nostálgicas de los poderosos zares. Contrastan notablemente con la piel ceniza de los genuinos habitantes de la isla.

-No piense, hombre, que soy extranjero, don Demós, le manifiesta Duniesky, percatándose de los taladrantes ojos del observador que delinea su rostro cual si fuera un objeto rarísimo de laboratorio taxonómico. ¡No soy ruso! Soy auténtico de aquí, natural de la isla. Nomás oiga cómo hablo, chico. Aunque tenga nombre ruso. Y parezca un descendiente directo de Pedro El Grande.

-¿Cómo dice que es?

-¡Duuu-niii-eees-kiii! Dunieski León.

-¡Mejor le voy a decir Lión! ¿Qué le parece?

-No hay ningún problema.

-¿Aún no llega el pasajero?

-¡No sé que pasa! Salen y salen personas y mi pasajero no. Se caería al mar cuando fue al baño. O por la ventanilla mientras dormía. ¡No lo veo por ningún lado al tipo! Bueno, voy a esperar un poco más, a que salgan todos, a ver si aparece.

-Por mí no se preocupe. Iré al restaurante. Voy a tomarme un cafecito. ¿Gusta?

-Gracias, don Demós. Pero ya usted sabrá: yo de aquí no me muevo. Mi trabajo es atender al cliente turista. Vaya usted. Con confianza, hombre.

Demóstenes elige un lugar próximo a la barra. Ahí las voces y el barullo soplan débilmente en fresca brisa por sus orejas.

Las maletas las pone bajo la mesa y el portafolio encima de ésta. A dos impulsos musculares de abrirlo una mujer negra con aires calurosos del continente cuna de la raza humana se planta imponente a su lado. Forrada de mandil y blusa blancos, y falda azul marino, sostiene en las manos una libretita y un lápiz presta a anotar la orden. Orgullosa le muestra su dentadura de marfil brillante. Para abreviar el pedido Demóstenes le solicita sólo un café. Enseguida saca la carpeta azul. Un separador de papel de amate con figuras de venados y jaguares, comprado a un niño indígena tlapaneco en su tierra, le indica el follaje de las letras: "El silencio martillea los minutos de la madrugada. El reloj electrónico no marca ningún número. Enciende la luz y la computadora para disponerse a escribir las oraciones con hálito eterno que las mil y una musas deletéreas diluyan en los manantiales cristalinos de su cántaro cerebral. Le fascina observar en la pantalla el parto instantáneo de las palabras milagrosas. Aparecen de la nada en un destello mágico poblando la hoja en blanco. Perro mundo II. Abre el archivo. Contiene cinco textos-bebés. Unos imberbes para llamarse cuentos. Les falta mucho por madurar. Están en pañales. Ya los encargaré a una nodriza portentosa para que los alimente y cuide debidamente. Una vez desarrollados sanos y fuertes en casa saldrán a la luz pública. Cierra el archivo. Revisa otro. Una novela en periodo de hibernación. La contempla parte por parte. Esta sí podría convertirse en una obra monumental. Para no perturbar su reposo, vaya a despertarla antes de tiempo, oculta su magnética figura en las entrañas profundas de los microchips. Hace click en el titulado Lafort2000. Aquí analiza la información sobre su hermano político. Pasajes biográficos del joven adulto realmente significativos: templadores de su alma espíritu: los días de su época de estudiante universitario cuando llegaba al cuarto cansadísimo, y no por algún trabajo donde lo estuvieran explotando durante ocho horas sino a falta de uno. Ese año pasó el miércoles de Ceniza, la Cuaresma, la Semana Santa, el día del niño, el de la madre, el del maestro, llovió en verano, se quebraron las piñatas y se veneró al niño Jesús en la época decembrina, nació el año nuevo, y el dichoso trabajo no llegaba a desvanecer los días de zozobra, incertidumbre, desesperanza. ¿Eran las consecuencias del error financiero de diciembre del 94? ¿Por eso no había empleos en el país por ningún lado? ¿O faltaban ganas y deseos y visitas y currículum vitae? Por eso no iba a parar. Tenía una altera de fotocopias para aventar a los cuatro vientos. En los dichos tantos gastó los últimos pesos. Había repartido solicitudes de empleo y currículos a diestra y siniestra. Subió y bajó escaleras, elevadores, pisos, una y otra vez, de un edificio, y de otro, y de otro, y véngase el lunes, y ahora véngase el viernes, ahora espérese, tenga paciencia, un poquito nada más, no se desespere joven, nosotros le llamamos en todo tipo de empresas, negocios y oficinas del gobierno federal. Periódicos, revistas, estaciones de radio y televisión, disqueras, megatiendas comerciales, agencias de publicidad, agencias de modelos, agencias de viajes, fábricas de cartón, de embutidos, de lapiceros, de pañales desechables, escuelas particulares, tlapalerías, farmacias, tortillerías, papelerías, panificadoras. Hasta en el puesto de tamales y atoles de la esquina de la colonia. ¡En ningún sitio había chamba! ¡Virgen santísima, una chamba por el amor de Dios!

Una buena mañana, a un respiro de perder las últimas potencias de la fe, de ser abandonado por las fuerzas de la esperanza, recibió, en la casa donde vivía, una llamada del periódico Reforma. Si estaba interesado en una plaza de fotógrafo que fuera cuanto antes a hablar con el jefe de recursos humanos. Por supuesto, con mucho gusto, sí, era el periódico mejor pagado del país, el de más prestigio, según muchos estudiantes de periodismo y de comunicación de la UNAM, Iberoamericana, Tecnológico de Monterrey, Metropolitana, Intercontinental, Valle de Anáhuac y de la Carlos Septién García. Agradeció la amable atención de hablarle. En un par de horas estaría en la entrevista. El trabajo consistiría en tomar fotografías en actos especiales: desayunos, comidas o cenas en embajadas y consulados. Incluso, algunas veces, asistiría como enviado del periódico a las giras del presidente de la república. Su experiencia de fotógrafo en El Universal le respaldaba en su legítima aspiración de ocupar la vacante.

-Tú aún no terminas la carrera, ¿verdad?, indagó el joven de la entrevista, auxiliar del jefe de personal.

-En efecto. Estoy en el octavo semestre.

El entrevistador, de unos veintidós años de edad, de piel rosada, aterciopelada, se levantó del sillón ejecutivo para verlo de cerca. No dejaba de agarrarse la corbata azul perla mientras su mirada escudriñadora recorría a su entera satisfacción el pantalón de mezclilla y los zapatos negros del aspirante. Se agachaba disimuladamente, acomodándose la corbata, en tanto repetía las tareas por desarrollar. El cabello muy alborotado, a lo mejor por la caminata del Metro a la oficina, analizaba, no lucía fijo, esplendoroso, como el suyo, envaselinado, peinado modelo de los sesenta que se palpaba, altivo, sintiéndose el rey del rock and roll. Estiraba los brazos para sacudirse las mangas del saco gris estilo inglés. Una y otra vez frotaba con las dos manos la lengua de trapo de seda.

-¿Tienes coche?, preguntó de repente, con voz de cantante rocanrolero.

-No. ¡De dónde quieres que lo saque! ¡Estoy por terminar mis estudios de licenciatura! Por ahora tengo lana solamente para los tlacoyos y las garnachas y los huaraches y los tacos y las quesadillas y las picaditas... y...

-¡Ya párale! No me informes de la gastronomía mexicana. ¡De eso que come el pueblo! Sólo fue una pregunta... sin mucha importancia... Bueno, mi amigo... Yo te llamo en una semana para notificarte si fuiste aceptado.

-Está bien. Voy a esperar la respuesta.

-¡Que te vaya bien!

–También a ti.

-Oiga... oiga... ¡Ya vámonos! Alguien lo llama con un brazo levantado.

-Voy, contesta haciendo la clásica señal de un momentito con los dedos pulgar e índice de la mano derecha casi rozándose.

Abre el portafolio color vino para guardar la carpeta con el tesoro de hojas. Lo cierra. Pasea los finos pinceles visuales sobre la mesa. Le es imposible definir otra vez los volúmenes de la taza de cerámica blanca pintada de imágenes de peces, con el café caliente aromático adentro, y los sobres semitransparentes de azúcar a un lado, todo puesto esmeradamente en un plato hecho del mismo material de la taza: porque desaparecieron sin que él se diera cuenta. Por el mostrador colorea a la mesera de ojos medio saltones. Única sospechosa intelectual y material de la invisibilidad de los objetos. Ella le dibuja una pícara sonrisa delatora con sus labios de mora, carnosos, ligeramente encima del cuello de la blusa cerrado hasta arriba cual moño de regalo para un octogenario.

-Aquí están los dos dólares señorita, dice Demóstenes con voz fuerte. Y una propina de uno.

-Está bueno, chico, muchas gracias. Buen viaje.

-¿Y qué pasó con el pasajero, Lunesky?

-Seguro lo dejó el avión en la ciudad del esmog o pasó hace un ratico en mis narices, y no me vio ni lo vi. No me dio tiempo hacer un letrero de bienvenida para él. Bueno, ya sabré por medio de la agencia sobre su paradero. Vamos don Demós al hotel. Que ya es hora. Deje ayudarle con una maleta. Eso es. Andando pues, distinguido caballero.

En el estacionamiento del aeropuerto Demóstenes queda deslumbrado al contemplar una exposición de coches antiguos de los más diversos colores: amarillos, verdes, guindas, anaranjados, morados, azules, negros, rosas, rojos, cafés. Nunca los portones de su alma habían silueteado tantos modelos de los años cincuenta y sesenta juntos. Salvo en las películas del cine nacional de su país y extranjeras filmadas en aquellas décadas. Suben a un carro rojo Ferrari.

-Es un Datsun 1970, don Demós, afirma Duniesky muy orgulloso de su joya automotriz.

Evita preguntarle si los dejará tirados en el camino porque tal vez ofenda al flamante, educado, respetuoso, comedido representante de la agencia de viajes. Se dirigen a la autopista

Novia del Mediodía, exactamente al kilómetro seis y medio, al hotel Marosa. En el trayecto desfilan en uno y otro sentido motocicletas, carros, camionetas, camiones de carga con el nombre de sus marcas en extrañas lenguas de países de Europa del Este. Todos de tiempos de la Guerra Fría. Algo realmente increíble. Reliquias de otra época casi nuevos, como este carro que luce estupendo por dentro, con el tablero completo, los forros y las molduras de plástico nada maltratados. Desarrolla una velocidad promedio de sesenta kilómetros por hora sobre el carril derecho de la carretera grisácea con ligeras ondulaciones. Frecuentemente nos rebasan coches Ford de lámina gruesa de los años cincuenta. Tal espectáculo automovilístico gratuito y al aire libre es realmente asombroso.

-Muchos funcionan con petróleo, dice Duniesky al ver a su copiloto tan sorprendido de poder testimoniar, casi pegado al parabrisas, el potente funcionamiento de una tecnología automovilística considerada en vil decadencia.

-¡Increíble, Lión! ¡Y se ven exageradamente conservados! Sin abolladuras por ningún lado. Ni rayas sobre la pintura. Con las poderosas defensas plateadas sin un raspón. Los acabados de lámina gruesa están enteros. ¡Quizá salieron hace unas horas nuevecitos de la agencia de coches! ¡O de un museo! ¿O los trasladan a algún museo? ¿A una feria nacional de exhibición? ¿De automóviles antiguos? ¡Vamos, Lión!

-¡Cómo se le ocurre pensar a usted eso!, comenta Duniesky sonriendo.

- Oh, no, no puede ser verdad, ahí va un impecable Lincoln Continental negro descapotable, parecido a aquél en el que viajaba Kennedy cuando lo asesinaron.

-Exactamente. Este es de un Ministro de nuestro país.

Antes de ventilar más exclamaciones de sincera estupefacción por el tentempié que le ofrece la capital del país, de sus tantísimos platillos encantadores de cada día, el turista es registrado en el hotel. De inmediato sube a dejar el equipaje dentro de la habitación reservada desde hacía un mes. Lo coloca sobre una de las dos camas tamaño matrimonial. Saca la carpeta del portafolio y mete éste en una de las maletas. Los muebles decorativos de madera: una mesa de noche color pistache con una lámpara marrón encima y el tocador de tono escarlata con un espejo brilloso rectangular, y los acabados rococó del cuarto en matices azulados, sobre todo los del baño: le evocan a Demóstenes películas de los años sesenta. De verdad le cuesta mucho esfuerzo mental creer lo novedoso e increíble de esta vivencia. Siempre ha cuestionado los viajes a través del tiempo. Tal vez experimenta el primero sin estar plenamente consciente de ello. De una de las maletas saca una mochila negra con su cámara fotográfica adentro. Agarra la carpeta azul, cierra la maleta y sale del cuarto rumbo al lobby.

-¿Es posible que me cambies de hotel, Lión?

-¡Hombre! ¿No te gustó éste?

-Sí. Pero quiero cambiarme a uno céntrico. Aquí está muy lejos. Deseo estar en la ciudad. Además, aquí sentí unas sensaciones extrañas. Como si regresara a otra época. La habitación despide aires, olores, colores, formas, volúmenes apelmazados de tiempos antiguos. Podría estar habitada por las almas y espíritus en pena de los abuelos del maletero.

-Ah, vaya. Es por eso, chico. Tienes razón, esto está alejado de todo. Y supongo, tú quieres visitar los lugares tradicionales. Caminar por las calles llenas de personas vivas, y que estén repletas de historias actuales, modernas. ¡Claro! Comprendo.

-Aquí está muy bien. Bastante silencioso. Está excelente para leer y escribir. Me siento vivir en otra época te repito. De hace cincuenta años. Pero quiero tomar fotos y conocer a la gente de este tiempo. Quiero platicar con más de un ciudadano de cambio de milenio. Oírlos contar sus penas, sus desventuras. Saber qué piensan del país, del mundo, de la vida, de la existencia, del universo. ¡Lo qué esperan del futuro! ¡Si se preocupan por el destino de la humanidad! ¡Y del planeta!

-Bueno, bueno, bueno. ¡Ya no me digas más, chico! Que me vas a poner triste, hombre, con esas preguntas. A ver, déjame ver, qué puedo yo hacer. A ver si te puedo cambiar al Caprichoso. Es un buen hotel, que te va a gustar. O al famoso Habanera

Libre. Déjame ver qué me dicen ahí. Voy a llamar por teléfono. Y bueno, vamos a ver qué me dicen aquí también, en este hotel. Si podemos cancelar. Te lo reservé para dos meses. Ojalá no cobren nada por la cancelación. Espérame tú, ahí, en un sillón. Descansa un poco. Ponte cómodo, que ya regreso. Tú no te enfades, yo me encargo de todo. Ah, mira, ahí viene el gerente. Voy a conversar un ratico con él. Esto lo resuelvo yo. Ahora mismo puedes seguir leyendo. Ya veo que te gusta mucho esa actividad. ¿Por cierto, chico, qué es eso que tú lees con tanto interés? Con tanta emoción, y muy concentrado. Ya me entró la más sana de las curiosidades, chico.

-Es una... ¿cómo te diré? ¡Una historia demasiado personal!

-Bueno, ya me platicarás ¿no? Ya luego me das el título para que yo la consiga aquí, en mi patria, a ver si la hay.

-Por supuesto.

-Bueno, ya vuelvo.

-De acuerdo, Lión.

Demóstenes, acomodado en un sillón individual, observa a la derecha un discreto bar, vacío de gente a esta hora de la tarde; enfrente el corredor prolongándose hacia el restaurante; a la izquierda, la recepción en cuyo mostrador una señorita güera hurga algo desesperada entre papeles, folletos, carpetas; a su espalda, a través de los ventanales de cristal, a un señor de piel oscura en el estacionamiento, limpiando delicadamente, con una franela roja, los vidrios de las puertas de un Ford azul cielo de los años cincuenta. Caricia tras suave caricia brotan de los poros gotas de sudor envueltas de destellos de leal cariño. ¡Algo fantástico! Los azorados cristalinos de Demóstenes retratan en este segundo la estampa simbólica de una época dorada de la sociedad consumista globalizada: cuando *el sueño americano* se extendía tan idealizado por el mundo entero sobre las ruedas enajenantes del capitalismo apabullante. Su campo visual atrapa un momento de la historia congelada de mediados del siglo veinte en esta isla. ¡A inicios del siglo veintiuno! Algo extraordinario descubre con pupilas de cirujano a cada hoja, párrafo, línea. Concluida la segunda lectura de las doscientas cuartillas seleccionadas. Aún está muy fresco el material anecdótico para transmutarlo en literatura. Lo someterá a un periodo de hibernación por algunas semanas. A partir de este domingo friolento de invierno. El viento juguetón del atardecer reverbera sobre las hojas regadas por el piso. Entran en el departamento sus tres hermanos. Se estrechan la mano los cuatrillizos. Pasan a la salita. Sentados solemnemente en los sillones habituales pregunta el político sin preámbulos:

-¿Qué opinas de la historia, hermano?

-Me parece interesante el testimonio. He ojeado las quinientas hojas. Habla sobre tus principios, valores, motivaciones. Y, la verdad, no he sabido de otro funcionario estatal, ni federal ni municipal, en no sólo la historia de nuestro estado sino del país entero, que transparente así, como tú lo hiciste, sus actos públicos. ¡Te felicito!

-Gracias. Simplemente reflejo al ser que somos, así como nos educaron en la familia, comenta el admirador de Nelson Mandela.

-Te felicito por tu entereza, tu lucha, tu convicción ecologista de defensa de la naturaleza. Aunque no te lo reconozcan en tu partido, el grucodi, tus dirigentes nacionales embusteros.

-¿Servirá el material para una buena novela?, cuestiona el periodista.

-Puede devenir en una novela... algo interesante...

-Para eso precisamente te di la historia, apunta el periodista. Para que te pongas a escribirla. ¡Urge que la termines pronto! Ya no te vamos a molestar para nada. Entrégate de tiempo completo.

-¿Ya terminó de ordenar señor diarista?

-No te molestes, hermano.

-Saben bien que no me gusta recibir órdenes de nadie, manifiesta categórico el escritor. Esto de la literatura es algo que no se compra en la botica. Sería una aberración descubrir a alguien pidiendo un kilo de cuentos o cinco litros de novelas en cualquier esquina.

-Está bien, no te enojes, disculpa, musita el periodista.

-¿Entonces te va a llevar mucho tiempo escribir la novela?, interroga el político.

-Ya seleccioné doscientas cuartillas. Esto es un reverendo desorden. ¡Un caos! Escribías cualquier ocurrencia, sin ningún plan, sin imprimirle ilación a la escritura. Saltas de un suceso a otro sin tender ningún puente para que el lector te siga. Y pasas de un personaje a otro sin un hilo orientador en unos diálogos peripatéticos intrascendentes. Soliloquios interminables. Esto semeja no a un diario personal sino a ¡un chismógrafo!

-Bueno, ya, ya, no me critiques. Es cierto, mandaba al periódico las sensaciones del momento, del día. Lo más relevante de la jornada. Por otro lado, déjame decirte, con imperfecciones si tú quieres, de tipo estructural, sobre todo, sí tenían un efecto positivo en los caros lectores, por su alto grado de contenido informativo exclusivo.

-¡Si vieras cómo era leído!, expresa el político.

-Gustaba mucho la columna, agrega el periodista. ¡Eso me decía el director del periódico!

-¡Me imagino! Con los chismoretes que publicabas se divertía la gente, ejemplifica el escritor. Aquí subrayé una referencia al Ejecutivo estatal. Nuestro hermano político lo señala, quizá porque es negro el gobernador, como un discípulo de San Martín de Porres. Quizá es todo lo opuesto a lo que predica el catolicismo.

-Era para darle un poco de color, aclara el político.

-¡A la nota!, ¿verdad?, precisa el escritor.

-Sí, desde luego, confirma el periodista. La declaración era de él y yo la redactaba. Y no por racismo, sino para humanizarlo, porque se siente con una aureola de semidiós.

-Y para recordarle que tiene sangre de esclavos, manifiesta el político.

-Es descendiente directo de los esclavos que trajeron de África los invasores españoles y europeos en los tiempos de la colonia, recalca el periodista.

-¡Para que no olvide sus raíces!, enfatiza el político.

-¡Y reivindique a la raza de hierro!, agrega el periodista.

-Se sincronizan perfectamente, hermanitos, comenta el escritor.

-No podría ser de otra manera, cuando hemos convivido juntos tantas horas, argumenta el político.

-Hemos compartido una y mil peripecias, reafirma el periodista.

-¡Venga don Demós! ¡Todo está listo! ¡Me lo dejaron al mejor precio!, alguien le habla de pie a unos ocho metros enfrente.

-Sí, sí, contesta levantando la vista hacia el ruso que lo mira algo desesperado. ¡Voy mi estimado Lión!

Demóstenes se para con la destreza de un atleta. Alarga los pasos lentamente, con la cabeza inclinada y la carpeta en las manos.

-¿Y tú, hermano fotógrafo, no se te ocurre decir nada?, pregunta el político.

-No.

-Él se comunica con imágenes no con palabras, precisa el escritor.

-Sí, añade el periodista, y vive con la ilusión de que algún día se haga famoso al dar a conocer la obra que ya tiene lista y entonces vendrá su paga, su compensación.

-Dime tú qué brillante carrera tienes, se defiende el fotógrafo. ¿Trabajas en uno de los periódicos o una de las estaciones de radio o de televisión más importantes del país? Cuando te hayas forjado un nombre en el periodismo nacional y seas una vaca sagrada reclámame algo, periodista local.

-Ya, hermanos. ¡Parecen escolapios! Riñendo todo el tiempo, se atreve a intermediar el político ecologista.

-Tú no hables, carajo, truena el periodista, alterado por lo que le decía el fotógrafo.

-Ahora vas conmigo, ¿eh?, protesta el político.

-Sí, de una vez, a ver, ya encarrilado, te voy a decir dos o tres verdades también a ti. Por ti, a propósito, he dejado mi carrera profesional que estaba consolidando en el Distrito Federal.

-¿Por mííí, heermaaniitooo?, balbucea sorprendido el político.

-Sí, porque todo el tiempo me has tenido al pie, junto a ti, como tu consejero, tu asesor. Durante estos casi cuatro años.

Desde que entraste al grucodi me has tenido elaborando boletines, y lo que es peor, escribiendo oficios. ¡Hazme el favor! Contigo he desperdiciado mi capacidad de escribir reportajes, mi habilidad para entrevistar. Por eso he olvidado mis metas, mis ilusiones. Y aquí estoy empolvándome por venir a ayudarte en tu partidito basura.

-Ahora resulta que me culpas de tus fracasos, manifiesta el ecologista, sorprendido.

-Exactamente, asevera el periodista. Porque me has robado mi tiempo. Me has arrebatado mi capacidad de soñar. Antes quise ser uno de los mejores periodistas del país, pero por venir a ayudarte, perdí la oportunidad, el intento de lograrlo. Y ahora, creo que es demasiado tarde. No tengo las mismas fuerzas. Mi sed de triunfo se ha ido secando durante estos años. Mi hambre de conquistador profesional ha sido devorada por estas tierras heroicas, donde existen lamentablemente seres envidiosos, egoístas, mediocres, malos que impiden el progreso de la sociedad.

-¿Y por qué nunca me lo habías dicho, hermanito?, pregunta el político.

-¡Venga, don Demós! ¡Que se hace tarde!

-¡Voy Lión! Sólo escucho el desahogo sincero de un hermano.

-Lo llevaba muy adentro. Y no te lo decía para no herirte, para que no te derrumbaras. Porque sé que mi palabra y mi voz te fortalecían, te fortalecen. ¡Déjenme hablar! Hoy quiero externarlo. Al principio sí, reconozco, me emocioné mucho con tu proyecto político. Lo concebí como parte de mi sueño profesional. Desde luego, aún creo en ti, en tu sinceridad, en tus convicciones. Pero ya no en el proyecto. No creo en tu futuro como político, porque éste depende de otras personas que no son iguales a ti. Ellas ven a la política como negocio personal. En eso tú no estás de acuerdo, ni yo. Y aunque tú no tengas una maestría o un doctorado en ciencia política por la universidad de Harvard o de Oxford, y seas un político improvisado que a punta de frentazos, uno y otro a cada rato, te hayas curtido, sigo creyendo en ti. Porque no claudicas a tus ideales de defender a la naturaleza y a los pobres. Continúas firme, a pesar de las amarguras vividas, aguantando los ventarrones oscuros de esa gente oportunista, traicionera, chantajista que conociste. Llena de envidia, odio, ambiciones desmedidas de riqueza, de poder. Tanto te ha dañado moralmente. También yo he sentido tales fuerzas negativas. Por eso me duele tanto lo que vives ahora. El desprecio de funcionarios y gobernantes por desenmascararlos y decirles sus verdades. Por no dejarte corromper. Las traiciones, desengaños, decepciones que sufriste, y en tu mismo partido polaco. No ha sido fácil tu lucha, y por eso te admiro más. Por todos lados te han atacado injustamente. Incluso, muchos de mis colegas que te envidian se han ensañado contigo en los diarios, en la radio. Te han criticado hasta llegar a la difamación, a la calumnia. Intentaron manchar tu nombre, tu imagen. Pero nunca lo consiguieron. Ah y esa vez cuando te fuiste a Europa, al ser publicado en España el libro de cuentos *Perro mundo* de nuestro hermano escritor, siendo tú candidato a gobernador, en plena campaña político electoral, se dieron vuelo los periodistas. Dijeron que los gachupines no votaban. Ni los franchutes.

-Eso dijeron los periodistas mediocres, envidiosos, precisa el fotógrafo.

-Tú no hables, impresor de la realidad desvirtuada.

-Por qué me voy a callar, tundemáquinas local.

-¡Ya estuvo bueno de sus ridiculeces!, hermanos, ataja el escritor. ¡No discutan más! ¿De qué se trata esta reunión? ¿Es para comentar sobre la novela? ¿O vienen a ventilar sus desavenencias delante de mí? ¿O a confirmar el aporte de cada uno de ustedes en las páginas de la historia?

Está bien... observemos la ecuanimidad, prorrumpe el político. Ya hablaremos después, tú y yo, hermano periodista.

-Eso espero, responde éste, alicaído.

-Por mi parte, no tengo reclamos contra nadie, asegura el fotógrafo.

El escritor se pone de pie. Estira su brazo derecho. Los demás lo imitan. Sostienen sus manos, una encima de la otra, al tiempo que expresa aquél:

-¡Unidos y en paz, como siempre y por el resto de nuestras vidas!

-¡Así sea!, contestan en coro los otros.

-Todo está arreglado, don Demós, le dice Duniesky, palpándole el hombro derecho. Simplemente pagaremos siento sesenta dólares. Es por la diferencia de tarifa. ¿¡Usted me entiende!? Aquel hotel es un poquitico más caro. Ah, y el cambio lo hacen hasta mañana. Pero vamos, vamos. Subamos al coche.

-Por supuesto.

-Cuidado con las hojas, don Demós, que se salen de la carpeta.

-Aquí las llevo bien sujetas.

Vuelven a sentarse los cuatrillizos.

-Retomando el asunto que nos convoca esta tarde, dice el político, te he de preguntar hermano, sin afán de impacientarte, ¿en qué tiempo tendrás lista la novela?

-La verdad... no lo sé.

-Considerando el tiempo en que yo preparé el material, fueron nueve meses, calcula el periodista, ¡mínimamente en la mitad!, o sea, la tendrías que tener lista en cuatro o cinco meses.

-¡Si no son enchiladas!, expresa malhumorado el escritor. No son simples ocurrencias en tiempo de ocio, o chismarejos para divertir a los funcionarios del gobierno y a sus secretarias, o crucigramas de entretenimiento banal para el personal de intendencia, cuerpo de guaruras y de choferes. Contar lo vivido, conocido, descubierto día con día en la administración pública estatal, en los oscuros recovecos de Palacio de Gobierno y de la Jacarandosa Residencia Oficial del gobernador. Una simple calistenia para ejercitar los dedos y las neuronas para estar en forma mental y creativa. Un simple ejercicio periodístico literario, donde la realidad y la ficción, la inteligencia y la imaginación, el periodismo y la literatura, crearían un universo tal que a más de un lector le sorprendería verse dialogando cierta mañana o tarde al lado del personaje principal. A medida que el coche se interna a moderada velocidad entre las amplias avenidas arboladas, con camellones escrupulosamente pintados en medio, tupidos de arbustos y flores recién regados de agua potable, Duniesky, algo apenado, con voz suave, interrumpe, a pesar suyo, a los cambios bruscos de aceleración, la lectura de Demóstenes para señalarle las residencias donde viven los diplomáticos, embajadores, cónsules y representantes de organizaciones internacionales.

-¿Entonces aquí no deambula la pobreza, Lión?

-¿Qué si va a ver? ¡No, chico! Aquí hay puro rico. Aquí sí vive la vida. Y déjame decirte, por aquí, es donde reside el presidente de la república. En realidad, tú sabes, él vive en varias partes. Tiene varias casas en la ciudad capital. Por razones de seguridad. Para evitar posibles atentados. Porque es bien sabido en el mundo el interés permanente del imperialismo yanqui en desaparecerlo de la escena política internacional. Y quiero que tú sepas que en este país Estados Unidos de América no tiene ninguna embajada desde hace casi cuarenta años.

-Desde la famosa crisis de los misiles en 1962, claro, cuando sus antagonistas soviéticos los instalaron en varias localidades de la isla con ojivas nucleares. Y entonces gringos y rusos estuvieron a punto de iniciar el holocausto nuclear tan profetizado en los textos sagrados de múltiples religiones. La humanidad estuvo en peligro de ser exterminada por la irracionalidad de dos gobiernos poderosos con ideologías opuestas. También se salvó el planeta de quedar despedazado.

-Bien que sabes sobre nuestra historia, Demós.

-Algo la he estudiado.

-Y de religión. Y de los efectos devastadores que causan las bombas atómicas. Y de historia mundial del siglo veinte. Y, disculpa, ya no te distraigo.

-En serio, ¡fue todo un éxito!, un suceso en las páginas periodísticas locales, trata de defenderse el periodista. Si no lo quieres creer pregúntale a...

-Sí, sí. Con un llamativo estilo que vino a oxigenar a la anquilosada prensa de provincia, se apresura a defenderlo el político. Les vino a dar cátedra a los periodistas de aquí. Innovó, revolucionó.

-Acepto que está algo novedoso el estilo de plasmar de puño y letra una experiencia política a través de un periódico diariamente y en el proceso evidenciar corruptelas de servidores públicos. Pero no por eso te otorgarían el premio nacional de periodismo, advierte el escritor. ¡Qué es esto! Miren aquí, por ejemplo, en esta hoja transcribiste un oficio. ¡Qué respeto tenías a tus lectores! Seguramente por tu flojera de escribir algo serio, ¿verdad? Publicabas oficios y con faltas de ortografía. ¡Qué vergüenza!

-¡Era mi secretaria quien se equivocaba!, intenta justificarse el periodista. Una muchacha de nombre muy raro, perteneciente al inventario del gobierno estatal, que no sabe nada de ortografía ni de redacción pero se cree una miss universo. Una princesa modosita. ¡Una muñequita de aparador! Como existen muchas en las oficinas burocráticas que sólo van a hacer bulto para amueblar las sillas frente a los escritorios.

-¿Y tú no corregías, perezoso?

-A veces no me daba tiempo después de dictarle a ella el texto. Además, mandaba los oficios al periódico -algunos, en ocasiones- para que fuera más testimonial el asunto, y así quedara para la historia, para los futuros investigadores, para los biógrafos.

-¡Qué historia ni qué biógrafos! No exageres.

-Bueno, ya no me regañe señor escritor. Mejor díganos: ¿Para cuándo tendrá lista la novela?

-¡No lo sé!

Demóstenes despega la vista de la escena de los cuatrillizos sentados cómodamente en la sala del departamento. La levanta unos centímetros por el frente del parabrisas del histórico Datsun 1970. Atrae su curiosidad tanta gente pidiendo aventón, rái, en las esquinas de las calles.

-Esos que tú ves ahí, parados, pidiendo botella, a la derecha del camino, son estudiantes o trabajadores, van a sus casas o a sus centros de trabajo.

-¿Y esos de verde? ¿Con ese uniforme tropical?

-Ah, esos pertenecen a escuelas o a oficinas del ejército. Ya tú te darás cuenta, poco a poco, cuando estés más días aquí en la isla. Los otros, con gorra y camisola gris, y pantalón azul medio oscuro, son los policías. Ellos, ya tú sabrás, pertenecen al Estado. Y los verás uno en cada esquina. Sí, señor. Y les pagan muy bien.

Demóstenes se cuestiona callado si los niños y jóvenes de playera, short y sandalias llevan puesto su uniforme. ¿Tal es el uniforme del pueblo? ¿Para que no haya distinción de clases? ¿Pero existen clases sociales en el sistema comunista de esta isla?

-¡No, no me friegues, hermano!, estalla de súbito el político, con una voz que inquieta a Demóstenes.

-¿Y tú por qué tanta obsesión para que escriba la novela?, se anima, al fin, a participar en la conversación el fotógrafo.

-Bueno... es que comprendan. La novela me ayudaría muchísimo en mi carrera para escalar un peldaño más en la sociedad, y conseguir un buen trabajo, expresa el político suspirando.

-Solamente pensando en ti, dice el fotógrafo.

-¡Ni digas nada! Que a ti también te he ayudado cuando he podido. Siempre te lo he dicho: la actividad fotográfica conlleva muchas vicisitudes.

-Sí, pero acéptalo, tú nomás piensas en ti.

-Pero ando activo. No estoy cruzado de brazos como tú.

-¡Ha sido por tu culpa!, politiquero. ¡Tú también me has traído al pie! Tomándote fotos. ¡Para los recuerdos del porvenir afirmas! En cada una de tus reuniones de oficina y en los pueblos que visitabas por todo el estado.

-¡Ya hombre! No me vengan con esos reproches. Recuerden, si me va bien a mí, les va bien a ustedes. Bueno, les comentaba, con la novela tal vez pueda conseguir un ascenso. Estamos en plena campaña presidencial. Y en pocas semanas se van a definir los candidatos a diputados federales. Probablemente me incluyan en la lista de los plurinominales. ¡Imagínense! ¡Ser diputado federal! Nomás estoy en espera de que me llamen.

-Ay, ¿sí cómo no?, comenta el fotógrafo, burlón. Siéntate, ¿eh?, no te vayas a cansar. O mejor ¡acuéstate!

-En mi partido van a valorar mis antecedentes, mi experiencia. En él sí existe la justicia no como en los demás. Sí toman en cuenta la disciplina, la lealtad, el trabajo, la antigüedad, la preparación académica. Los dirigentes nacionales son verdaderamente democráticos. Y estoy seguro, no tardan en llamarme para que les lleve mis documentos personales para el registro de mi candidatura plurinominal.

-En tu partido ni caso te hacen, revela el periodista. ¡Date cuenta! Nomás te utilizaron cierto tiempo. Ahora no les sirves. ¡Estás acabado! No quieren saber nada de ti. Porque además, te ven como una amenaza. Porque con tu valor, tu honestidad, tu talento, tu sólida formación académica, les vas a quitar los reflectores. Los vas a eclipsar.

-No puedes decir eso, protesta el político. En el grucodi se practica la justicia, es uno sus principios rectores. Así lo dicen sus estatutos registrados ante el honorable Instituto Federal Electoral.

-¿Síii cooomo nooo? Ni menciones a ese elefante blanco, el supuesto árbitro de la democracia, le sale demasiado costoso a todos los ciudadanos del país. Y prodigan el amor al prójimo, y practican la libertad, ¿verdad? ¿O eso les hacen creer a los animales que se dejan?, ironiza el periodista.

-¡No me insultes, periodista localito!, se enfurece el político.

-Ese partido político es un negocio familiar, se ha dicho en los periódicos. ¡Del perverso dirigente nacional!, enfatiza el fotógrafo.

-Eso aún no me consta, responde el político.

-¡No pueden estar un momento en calma!, exclama el escritor, sereno, pensativo.

Mientras el agente de viajes y Demóstenes entran en el hotel. Ni tardo ni perezoso Duniesky se dirige con el administrador. Éste les aclara: haremos el cambio, en efecto, sin ningún problema, pero hasta mañana, chico, mediante el módico pago de siento sesenta dólares que cubre la diferencia del costo de la habitación. De acuerdo, adelante, hágase por favor, faltaba más, contesta Demóstenes contento. En menos de un minuto realizan el trámite. ¡Bienvenido, señor! Muy amable señor gerente.

-Entonces, chico, mañana voy por ti al hotel Marosa. Como a la una de la tarde. Para traerte aquí. ¿Te parece bien Demós?

-Excelente, Lión. A esa hora nos veremos.

-¿Y ahora mismo qué piensas hacer?

-Caminar un poco, explorar la ciudad.

-Y seguir leyendo, ¿verdad?

-Desde luego, por ser una actividad de lo más placentera, de lo más aleccionadora. Amén de aportar conocimientos y saberes en abundancia sobre todas las razas, culturas, civilizaciones que han existido y existen en el mundo, con sus ciencias y tecnologías, potencia y mantiene vivas, de la manera más efectiva, las cuatro facultades mentales básicas. Te la recomiendo ampliamente. Cierra los ojos e imagina este acto escénico para que lo compruebes. Oye el siguiente diálogo. Lo leo en voz alta con voces distintas:

-De acuerdo, ya, sin pleitos, concilia el periodista. Y ya en serio. ¿Para cuándo tendrías la novela?, hermanito. Porque de su publicación depende nuestra supervivencia.

-Bueno... pensemos... si me dedico de tiempo completo... en unos tres o cuatro meses estará lista la novela.

-¡Es demasiado tiempo!, reclama el político.

-¿Por qué demasiado?, revira el escritor.

-Bueno, pensemos que la concluyas para... ¡mayo!.. luego... de aquí a que te aprueben la novela en España... en tu editorial... Mandala... de aquí a que alguien te escriba el prólogo... y de aquí a que te la publiquen... ¡va a llegar el fin de año! ¿Y ya para qué?

-¿Cómo para qué?, cuestiona el escritor.

-¡Entiéndanme! Es importante que se publique antes de las

elecciones en verano. Y cuando me estrene como legislador federal en septiembre tendré en mi haber un libro que hable sobre mi trayectoria política.

-Así como está la redacción del material no lo puedo publicar. Prácticamente escribiré todo de nuevo. Falta definir la voz narrativa: si será en primera, segunda o tercera persona del singular. O en plural. O una combinación de ellas. Describir mejor los lugares, caracterizar bien a los personajes, tensar perfectamente las reatas conceptuales con que voy a amarrar toda la historia en una unidad discursiva argumentativa absolutamente creíble. Impregnarle a cada oración, cada escena, cada pasaje, suficientes dosis de la verdadera esencia del lenguaje literario.

-Pues a ese ritmo, ¡a ver si dentro de un año!, ¿no?, apunta sarcástico el fotógrafo.

-Crear literatura no es tomar fotos. No es mirar por el visor de la cámara y disparar a lo que se mueva.

-¡Qué pasó, qué pasó, discípulo de Miguel de Cervantes Saavedra! Con todo respeto, lo saben ustedes, mi actividad tiene su chiste. Tomar fotos no es tan sencillo como todo el mundo piensa. Amén de ser una técnica, ciertamente, es un arte también. Y no cualquiera lo domina. No cualquier hijo de vecino concibe buenas fotos.

-Retiro lo dicho, admirador de Gabriel Figueroa.

-¡Está bien! ¡Tómate el tiempo que consideres!, dice resignado el político. Sin ningún tipo de presión.

-Además, ustedes sabrán, aquí no puedo escribir.

-¿Por qué no?, si no hay ruidos, siempre está en calma, como si no hubiera personas en la pequeña vecindad, asegura categórico el periodista.

-Necesito de condiciones especiales.

-¡¿No me digas?! ¿Requieres de un lugar paradisiaco para teclear?, especula el periodista. ¿Acaso necesitas de mujeres, sol y arena para inspirarte? ¿Música y luces de discoteque con noches de luna llena? ¿Whisky, ron y champaña?

-No, no. Necesito estar en un lugar donde no me moleste nadie con chismes y pleitos. Aislarme de todo lo conocido. Es decir: alejarme de los sitios frecuentados por nuestro hermano político y apartarme de todos los personajes que ha tratado. A todos los conozco perfectamente. En otras palabras: distanciarme de tu experiencia política. ¡Tener una perspectiva espaciotemporal!

-Quiere decir que necesitas mudarte de aquí.

-Así es, señor periodista.

-¿A dónde te irías?, pregunta el político.

-Todavía no elijo un posible destino.

-¿A Europa?, cuestiona el periodista.

-¿O a África?, interroga el fotógrafo.

-O a lo más lejano de aquí, ¿a China?, dice el político.

-¡No lo sé todavía! En los próximos días decidiré.

-Muy bien la dramatización, excelente el cambio de voces, mi estimado Demós, pareces un genuino actor de teatro, radio y televisión. En verdad me parece fenomenal esta parte de la historia y muy interesantes esos tipos. Aquí en mi país nunca han nacido cuatrillizos, déjame revelarte. Sería por demás educativo, bastante enriquecedor para la vida de uno, tan individual, tan solitaria, conocer sus modos de ser, y de pensar, y de actuar. Cuatro cabezas, cuatro cuerpos salidos, con una diferencia de segundos quizá, de un mismo vientre, es milagroso. No es nada normal en el mundo. Ya albergo la inquietud por analizar sus comportamientos, conductas, temperamentos, caracteres. Será aleccionador descubrir sus rasgos psicológicos comunes, compartidos a cada instante. Aunados a los corporales desde luego. Que si a uno le duele el estómago o le da fiebre, por ejemplo, los demás deben de sentir tal o cual padecimiento. O si alguno experimenta el amor o el odio los otros no quedarán ajenos a tal sentimiento, chico. Por igual padecerán la tristeza o la alegría. Supongo yo que no soy médico ni psicólogo ni psiquiatra ni psicoanalista. Ah, y cuando haga el sexo uno será la locura para los otros tres. Oyoyoy. Y cuando lo hagan los cuatro al mismo tiempo con sus respectivas parejas. ¡Joder! Ya los imagino electrocutándose por los intensos chispazos hormonales. Vivir la gloria sublime del placer. Bueno, ojalá puedas permitirme fotocopiar la historia, cuando termines de leerla, para aprender todo lo que aporten sus páginas al mejor conocimiento de nosotros los seres humanos.

-Cuenta con ello. Ya iremos a una papelería o a una oficina a sacarle un juego.

-Por ahora tienes muchas ganas de conocer la ciudad, ¿verdad?

-Hace diez años soñaba estar aquí. Entonces había comprado un paquete, idéntico al de ahora, con boletos de avión, hotel y comida incluidos. Aunque para menos tiempo. Iba a coincidir con los Juegos Panamericanos. Por aquellas fechas preferí hacer mi examen de admisión en la escuela de periodismo donde cursé mi carrera a viajar. Dije: la isla ahí está con su sistema de gobierno dictatorial que aspira a eternizarse. Iré en otra oportunidad a comprobar si es cierto. Y aquí estoy. ¡Una década después! ¡Cumpliendo mi palabra y mi deseo!

-¡Pues bienvenido seas al verdadero paraíso que hay en la Tierra, Demós!

-Gracias.

-¡Nos vemos mañana!

-Seguro que sí, Lión.

-Mejor nos vemos dentro de ocho días. Quizá para entonces ya tendré algo concreto: ya podré decirles a dónde me voy a ir. Y tú también nos comentas de tus planes, hermano político. Si vas a viajar al extranjero, acompañado del hermano periodista y/o del hermano fotógrafo. Les recomiendo la isla de Ibiza en el Mediterráneo. Ojalá pronto te den respuesta en el grucodi familiar sobre las candidaturas plurinominales a diputados federales. Deseo sinceramente que seas incluido en los primeros lugares de tu circunscripción.

-Muchas gracias. Entonces aquí estaremos puntuales el próximo domingo. Seguramente traeremos una buena noticia.

Con unos abrazos fraternos los cuatro hermanos quedan reconciliados en santa paz. Se despiden estrechándose las manos. El escritor cierra la puerta de entrada al departamento. Se sienta frente a la computadora portátil. Reanuda su infinita pasión de pensar, imaginar, crear, recrear, vivir, revivir. Su espíritu interpreta el concierto para piano en Sol Mayor de la Creación: las diez yemas de sus dedos percuten armoniosamente las teclas de plástico grises: sin conocer a nadie para guiarlo por los laberintos urbanos pisa un paraíso de la Tierra, según muchos pregoneros defensores del peculiar sistema de gobierno comunista imperante en la isla desde hace varias décadas. Aquí encontrará, supuestamente, lo más adelantado en medicina, salud, deporte, educación. Este país es el más desarrollado en tales ámbitos de América Latina, repiten como disco rayado los pro comunistas de su terruño. Pues a constatarlo en las próximas horas, días, semanas. Extraordinaria ciudad de los espíritus oriente cada paso por sus palmeras y palacios en pos de descubrir, si los hay, tantos tesoros culturales, artísticos, musicales, históricos, para registrarlos en la memoria cerebral corporal. Hay que vivirla, poseerla, gozarla a partir de ya a la reina del Mar Caribe.

-Hola chico hermoso, le habla una mujer negra, alta, como de un metro noventa de estatura. Vestida de falda a cuadros café y blusa amarilla de estambre.

-¿Cómo le va señora?

-¿Andas paseando chico?

-Como usted puede ver.

-¿Y qué es lo que tú buscas, mi niño?

-Por lo pronto... nada en particular. Sólo quiero caminar para desentumir los músculos.

-Yo te puedo llevar a conocer varios sitios... si tú quieres, chiquito mío.

-Este... gracias... señora.

La gente los escudriña de los pies a la cabeza con discreta morbosidad. Especialmente unos señores sentados a una mesa, con fachas de turistas y vasos en las manos, en las afueras de un restaurante.

-¡Qué es lo que tú quieres, chico! Dime, que no soy adivina. No te ponga nervioso, que yo te cuido, mi bebé. No te pasa nada conmigo. Dime tú, ¿quiere probar un mojito?

-No, gracias. De veras gentil mujer.

Demóstenes Cuarto agarra fuerte la mochila negra colgada en su hombro derecho.

-O invítame una coca-cola siquiera. ¡Ven, vamo pa cá!

-Le agradezco su invaluable compañía, amable dama. Pero deseo caminar solo.

-Espera, chico. No camine tan a prisa. Chico, que no voy a hacerte nada malo. ¡Venga, extranjero! Busquemo un sitio para sentarno. O si tú quiere, podemo ir a otro lugar para que yo misma te desentuma el cuerpo con estas enormes manos como manoplas de catcher beisbolista que tengo. Claro, luego de comer una rica y nutritiva langosta pa coge fuerzas, vamo, chico, yo estoy a tus órdene. Quiero que seas mi rey.

-Gracias, nuevamente, respetable dama. ¡Pero no!

Se aparta de ella a paso veloz. Descubre a un policía de más o menos metro y medio de estatura paseando justo en la esquina dentro de un reducido perímetro. La mujer cruza la calle discretamente, él dirige las zancadas hacia el garante del orden social, símbolo infalible de la seguridad pública en cualquier rincón del mundo civilizado. Desde el otro lado ella los pintarrajea de reojo intercambiando miradas, señas, gestos.

-Cómo le puedo hacer para que ya no me siga aquella mujer, oficial.

-¿Cuál, señol tulista?

-La mujer que está mirando hacia acá.

-¿La negla, alta como palmela, de amalillo canalio y ojo de bola de golf?

-¡Exactamente!

-No se pleocupe. Eso lo vemo nosotro, seño tulista. ¡Pa eso está la policía!

Con la mano derecha se acerca a la oreja un radiocomunicador. Habla a su estilo entrecortado, trabándosele las palabras en los labios, sin poder pronunciar bien las erres, con alguien que está del otro lado de la explanada ubicada enfrente. Su receptor, con un aparato igual colocado junto al oído izquierdo, le hace señas para confirmar si se trata de la misma mujer.

-Sí... sí... Camalada. La mismita. La alta como palmela, la

negla, chico. Que no se te vaya. ¡Súbetele po atra! ¡Tlávala por la epalda! ¡Detenla por Fidelio Cástulo! Que no escape. Tláila pa acá. Sí, te lo digo yo chico. Que ha estado molestando a un tulista estlanjelo muy lespetable, muy honolable. Aquí mismo está conmigo, camalada. ¡Hay que hacel lespetal la levolución! ¡Cambio y fuela!

-Porque viéndola bien, señor oficial, esa mujer parece prostituta.

-¿Plostituta? ¿Plostituta? ¿Y a esta hola del día? ¿A la lus intensa del sol? Ni lo mande Fidelio. Aquí, en esta isla, único bastión en Amélica del veldadelo socialismo, está plohibida la plostitución, señol.

-¡Eso me han dicho en todo el mundo!

-Ya lo velá usted. Vamo a lemitil a esa mujel. Usted no se pleocupe. Esa mujel ya no lo va a molestal más. ¡En su vida! De eso nos encalgamo nosotlo. ¡Pa eso está la policía! ¡Pol eso nos pagan muy bien! ¡Mi camalada la va a detené! Usted siga conociendo la ciudad, señol. ¡Diviéltase mucho!

-Le agradezco su atención, oficial. Cómo le puedo llamar... teniente, sargento, capitán, coronel, comandante, general.

-Deje usted. Tamo pa selvile, pa plotegel al tulista distinguido... como usted... ¡bienvenido a la Isla de la Utopía hecha lealidad, señol!

-¡Buen día, valiente subcomandante sin capucha!

Cuando Demóstenes Cuarto hace el saludo militar llega el otro policía, de la misma estatura que su compañero, con la detenida bostezante. A escasos metros de un montón de bicicletas estacionadas enfrente del hotel Inglaterra, los uniformados discuten con la palmera humana. Sus caras apenas asoman a la altura del par de cocos que ella balancea nada perturbada, bostezando, mostrándoles una libreta pequeña. Por la calle aparece una patrulla sin hacer ruido. Suben a la enorme mujer en el asiento trasero. En segundos el vehículo se aleja del lugar silenciosamente. Demóstenes Cuarto reencauza su feliz andar exploratorio por un espacio abierto parecido a un parque. Bajo las sombras de las ceibas, cedros, robles frondosos hay bancas metálicas ocupadas por señoras, ancianos, niños con caras de cansados de vivir en esta isla o decepcionados de no poder existir en otro país. Muchos adultos de gestos apáticos, muecas depresivas semejantes permanecen de pie, recargados a las palmeras verdaderas, con los brazos cruzados, y la vista disparada hacia… los horizontes… de mundos inexistentes.

-¡Que viva el país de las sabias razas constructoras de inigualables pirámides!

-Sí... sí... ¡que viva!, contesta Demóstenes a un negro, algo obeso, alto, con camiseta amarilla girasol, pantalón de mezclilla azul y tenis blancos Nike. Mueve el cuerpo, piernas, brazos, torso, cabeza, agachándose, como si estuviera cantando rap.

-¿Conociendo la verdadera Isla de la Fantasía?

-Queriendo conocerla, joven.

-¿Su primera vez?

-Para mi fortuna.

-¡Qué!, ¿lo molestó la policía?

-¡De ninguna manera! Una mujer que aparenta ejercer, el considerado por unanimidad por todas las generaciones que han existido de hombres en el planeta, el más antiguo, el más elemental, el más natural, el más sencillo y el más gozoso de los oficios humanos, me estaba acosando con cierta sutileza encantadora, y lo que hice para no caer atrapado en sus redes hormonales somníferas, fue reportar el para mí inesperado incidente. A lo mejor nada frecuente en esta isla. Luego de interrogarla muy respetuosamente los policías se la llevaron en una patrulla. Eso fue todo.

-Seguro la remitieron, la van a cujear durísimo. Encierro por unos días. No se salva. Pero usted no se preocupe, señor. Merecido lo tiene la mujer por molestar al turista. Si al turista lo debemos de guiar, orientar, cuidar con mucha delicadeza. ¡Si el turista es nuestro ídolo!

-Bueno, no era mi intención que pasara algo tan inusual, quizá, para la mujer. Suceso que puede causarle secuelas traumáticas el resto de su vida. Y quizá es madre muchos hijos. Una madre soltera.

-Ya olvídelo. Y mejor concéntrese en lo que quiera hacer. Que si puedo ayudarlo en algo, usted dígame. ¡Estoy a sus órdenes!

-Sí, muy amable. Disculpe, voy a tomarle una foto a esa jovencita que viene ahí tan alegre.

Demóstenes Cuarto saca rápido su cámara fotográfica de la bolsa.

-Oiga, oiga. ¡Espele! ¡Espele! Grita un joven con la mano derecha abierta en posición de atajar algo sólido.

-Sólo quiero tomarle una foto... Para llevármela de recuerdo... Y es por la playera que dice: ¡Salvemos a Elián!

-Pol un dólal. ¡Tílela!, le dice el joven.

-¿Un dólar?

-¡Y no quielo que salga mi mujel!, señol. Nomás la camiseta. Y que no se le noten tanto los senos.

-Hombre, no le hace nada a tu mujer, tercia el negro. Es una foto del recuerdo. Un bonito recuerdo pa el hermano país inventor del mariachi. Y ella qué culpa tiene que la naturaleza haya sido muy dadivosa con su cuerpo.

-Venga ya. Tírela, manifiesta la jovencita de piel morena clara alzando el pechote.

-Gracias, señora.

-Tílela, tílela ya, aunque no me dé nada, agrega resignado el joven medio güero. Y aunque sobresalgan mucho las ubres, no se puede evitar. Tiene razón este negro.

Demóstenes Cuarto, escoltado por el eventual guía turístico, regresa hacia la esquina del hotel Inglaterra. Por la calle lateral izquierda camina otra vez la mujer, alta cual palmera, de blusa amarilla canario hecha de estambre. Risueña, con aires de conquistadora, infla sus labios de mora reventada. Asume una actitud desenfadada como si no hubiese pasado nada con la policía minutos antes.

-Mira, esa es la mujer de hace un rato. Está con un turista. Compran un refresco en el restaurante.

-Chico, no te preocupes. Le habrán hecho una advertencia nada más. A ti no te va a molestar. Pero estate tranquilo. A la tercera seguro que se la llevan.

Calles más adelante el negro detiene la marcha de sopetón.

-Ven. Vamo a entrar a la peluquería. Pa que la conozcas. ¡Buenas tardes!

-¡Buenas tardes señores!, contestan el peluquero y su cliente en coro.

-Él es un amigo extranjero. Anda conociendo la parte que no es para los turistas. Quiere conocer el verdadero pueblo. La verdadera realidad de la isla. Por eso está aquí, pues.

-Adelante, señor. Con confianza, dice el peluquero.

-Esta es la moda aquí, señor, explica el cliente. Todo mundo anda rapado o semirapado. Y no porque lo imponga algún artista. No, no. Es por la necesidad. Se lo digo yo. Así uno no vuelve a ver al peluquero en varias semanas. Y uno se ahorra unos pesos.

-Bienvenido a la Isla de los Dulces Ilusionismos, carraspea el rebanador de cabelleras.

El local le hace recordar a Demóstenes Cuarto su grata infancia: ciertas mañanas vaporosas de rocío en las calles cuando lo llevaban a visitar al peluquero de su pueblo. Los espejos, repisas, afeites y botellas de alcohol; el sillón con la larga correa de cuero donde el amo y señor de las navajas les saca filo; la bata de hule azul clásica; el peine de plástico negro y las tijeras plateadas con que corta los diminutos cabellos al suave clip clip clip. Todo el conjunto ambienta la escena de hace veinticinco años. Realmente es sorprendente experimentar el viaje en el tiempo, infiere de nuevo Demóstenes Cuarto. Teletransportarse a épocas pasadas físicamente. Explorarlas por medio del pensamiento, de la imaginación, del espíritu. Tal como lo hacían los evolucionados mayas envueltos en una nube de luces chispeantes.

-¡Tenga cuidado, señor! Que no quiero ir a la cárcel por su culpa.

Grita un automovilista cuando Demóstenes Segundo se aparece de repente en una calle. Con las enormes manos en el volante le deja ver sus dientes blancos filosos, su rostro oscuro enojado. Conduce un Ford guinda, de los años cincuenta, en compañía de una mujer seria a su lado y un par de niños con la sonrisa de oreja a oreja en el asiento de atrás. Por el caudal de declaraciones, desahogos, quejas, recriminaciones escuchadas a través de los audífonos de la pequeña grabadora, Demóstenes Segundo estuvo a un paso de ser atropellado: la mayoría de las personas se quejan de lo mismo, de lo fundamental para ellos, de la falta de libertades. Libertad para caminar adonde ellos quieran, libertad para superarse, libertad para hablar, libertad para pensar. ¡Libertad para soñar! Es increíble pero la mayoría ha perdido la facultad para soñar. Tristemente los jóvenes de esta isla no tienen sueños. No aspiran a nada con sus vidas. Son incapaces de planear su futuro. Nada les interesa. Arrollados por el río comunista hacia los pantanos de la incertidumbre social nada pueden hacer para evitarlo. Sus existencias penden amarradas en el cenit del cielo ilusorio de la ideología materialista ante su voluntad impotente. Nada pueden hacer para cambiar sus circunstancias. Cualquiera que intente volar por su cuenta, al desplegar las alas es cazado con los tiros precisos y las municiones perforadoras de las escopetas de la intolerancia. Se acabaron los sueños para los jóvenes porque sus padres los arrancaron del corazón de la tierra. Aquellos que imaginaron de jóvenes la Revolución en un paraíso terrenal, ahora con sesenta, setenta y ochenta años de edad. ¡Su Revolución! Revolución hecha de puros recuerdos, fantásticas nostalgias, simples ideas desvanecidas en el aire. Como zombie vamo, ahola, pol la calle, la veldá, vociferan algunos compungidos, melancólicos. ¡Ante ela mejol! Too teníamo pol mucho. Todo iba bien en los tiempos de la subvención de la entonces poderosa Unión Soviética. Otorgaban al gobierno isleño cinco mil millones de dólares anualmente. ¡Claro, chico! Ahora ya no es así. Se acabó la felicidad, chico. Se acabó el paraíso también. Desde que estamo en el Periodo Especial. ¡Tú me entiendes! Desde la caída del Muro de Berlín y la caída de la Cortina de Hierro. ¡Que te lo digo yo! Estamo en el Periodo Especial. Desde el derrumbe de la Unión Soviética. ¡Se acabó el sueño comunista! ¡Se acabó el socialismo! ¡Se acabó!

Demóstenes Segundo apaga la pequeña grabadora. Se quita los discretos audífonos. Guarda éstos con el aparato en la bolsa delantera derecha del pantalón. Por algunas calles angostas cuelgan en las alturas de los edificios de cinco pisos, desde los balcones, ropa de todos tamaños y colores. Pantaletas, brasieres, pañales, camisetas, blusas, calcetines, sábanas, pantalones.

-Esta es la Ciudad Vieja, exclama el negro. Este es el verdadero pueblo. Como ya tú ves, chico, la gente no tiene dónde secar sus ropas adentro de sus casas, y bueno, la saca un ratico a fuera, al sol. Esto es muy normal aquí. No te asustes.

-Sí, ya veo, contesta Demóstenes Cuarto. Muy pintoresco. Qué diría... típico...colorido... esos contrastes de rojo, amarillo, negro, azul, blanco... de las telas femeninas. Le dan un toque único, sublime al paisaje urbano.

-¿Te está gustando la ciudad?

-Muestra unas facetas, caras, señas muy conmovedoras. Todas dignas de contemplarse con ojos de historiador, sociólogo, antropólogo, arquitecto urbanista. Incluso de filósofo.

-Hombre. ¡Ten cuidado! Procura ir en medio de la calle. Ha habido muchos accidentes últimamente. Camina atrás de mí. De pronto, pum, pum, se caen los balcones con sus enrejados de hierro a la izquierda o a la derecha. Es normal, chico. Por la poderosa ley de la gravedad. No te asustes. Y bueno, si pasa una persona por ahí en ese momento, pues la aplasta, qué remedio. Estas construcciones están muy viejas. Ya no toleran tanto peso de la gente. Hay sobrecupo en las casas. ¡La veldá! Por eso se caen al piso de pronto. Sabes, de forma natural. Esto pasa aquí y ya nadie se espanta. Como ves, la mayoría de edificios los están reparando. Por eso tú verás esas gruesas vigas enormes que atraviesan la calle para sostenerlos.

Traddfdfkkls. Tradsdssdkfgjd.

-¡Cuidado con ese palo!

Traddfdfkkls. Tradsdssdkfgjd.

-Te estoy diciendo, chico! Aquí puede ocurrir una desgracia de pronto. A la otra y nos cae. Qué joder. ¡Te estoy diciendo! Ya tú lo viste con tus propios ojos. ¡El negro no miente! Por poco y me mata ese palo, coño. Hasta se me arrugó la piel hasta lo más íntimo de mi cuerpo. Pero bueno, esto es normal. Uno tiene que vivir así, con este peligro diario. Se tiene uno que acostumbrar. Pero, joder, que sí me asusté. A la otra y aquí queda el negro aplastao como cucaracha. ¿Ves ese terreno solitario, chico? Donde están esos hombres con el torso desnudo acarreando piedras en brazos y en carretillas. Ahí había un edificio como de siete pisos. Y como te decía hace un ratico, están viejos los edificios. ¿Y qué tú crees qué pasó? Pues se cayó, hizo pum pum, cruok cruok, y mató a mucha gente, qué remedio. Y bueno, eso es normal que pase aquí. Ya tú te irás dando cuenta, cuando caminemos más por estas calles. Pero eso, de las muertes y de los edificios caídos, el gobierno no lo dice. ¡Qué lo va a decir! ¡No, chico! ¡Óyeme tú! Al gobierno nomás le interesa Elián. ¿Sabes tú lo de Elián?

-Sí, sí. Estoy enterado.

-Se ha de comentar mucho en tu país ese asunto ¿no?

-Sí. Muy comentado en la prensa escrita, en radio y televisión.

En la parada de servicio de transporte público frena la marcha un enorme autobús. Tal vez unieron dos camiones para poder transportar más pasajeros, especula Demóstenes Primero con mentalidad de ingeniero automotriz mecánico eléctrico, mientras la gente sube entre ligeros empujones. Las cosas van a cambiar solamente cuando muera el presidente de la república, se atreve a decir un señor valiente, en verdad realista, en medio del largo pasillo del camión, al ser cuestionado sobre la situación social en la isla. Con más de cuarenta años en el poder se ha vuelto un dictador, de verdad, se lo digo yo. Y las cosas siguen de mal en peor, Dios mío, se queja una mujer igualmente valiente y realista. ¡Qué logros sociales ni que nada! Vea usted mismo. ¿Es de seres humanos venir así en el camello? ¡Esto es cosa de animales, chico!, exclama una joven. Si no somos borregos o vacas, señor. La pestilencia no se aguanta. De todo tipo de olores, agrega otro señor. Ya tú hueles, chico. Esto huele a león, a buitre, a carroña, frijoles acedos, pescao podrío. ¡Dan ganas de vomitar! ¡Y con este calor! ¡Pa que nos dé rabia, chico! Deja túúúú, que pa ir o vení de casa, hay que esperá de do a tre hora a que pase el camello o la guagua, dice una señora con cara decepcionada. ¡Ya tú ves los logros de la Revolución! Estos son, chico. Ay zanca: pero si los logros son del líder barbón, de su familia y amigos, susurra un señor con cara más desilusionada. Y los empleados del Estado, sus empleados reptiles. ¡Ayúdenos, señor, allá afuera!, corea una joven. ¡Que esto se conozca en todo el mundo! Que venga la ayuda internacional de los países verdaderamente democráticos y libres. Por Dios señor, que llevamo una vida de perros. ¡Eyyy, chacho! Deja tú de manosearme, exclama una jovencita a mitad del camión, detenido repentinamente. Se abren las puertas. Entra una bocanada de aire caliente. ¡Eyyy, mi bolsa!, grita una mujer persiguiendo con las retinas llorosas a un muchacho en estampida con el artículo femenino sobre la espalda. Nadie dice nada. Sólo se miran y mueven los hombros. Indiferentes clavan sus ojos en el rostro de la mujer boquiabierta, azorada, entristecida. Los pasajeros se quitan el sudor de la frente, nariz, mejillas, barba con sus camisetas, brazos, manos. Antes de que arranque el camello Demóstenes Primero baja de un salto. Suda como si hubiera estado en un baño sauna. Quizá han perdido lo que nunca debe perder el hombre, deduce filosóficamente: ¡las capacidades de asombro, de indignación! Los habitantes de este país las han perdido. ¿Qué les hacen a estos ciudadanos? ¿En sus escuelas? ¿En los centros de trabajo? ¿Los han robotizado? ¿Sin ser máquinas artificiales? ¿Para preservar con su lomo y sus dedos una obra social anacrónica que está a punto de derrumbarse?

-Bueno, chico. Como tú ya estás viendo, conmigo vas a conocer la verdadera realidad isleña. No la de los turistas. La de los lugares bonitos, de los lugares limpios. A los turistas siempre los traen en manada de un sitio pa otro. No, no. Conmigo conocerás nuestros problemas, nuestros sufrimientos. Porque aquí sí que tenemos problemas. Hay hambre, mucha hambre, dolor, mucho dolor. No te cuento chisme. ¡El negro no miente! Pero eso sí, ya tú verás, con problemas y todo, andamos felices y contentos. Nunca verás a un nativo triste.

¡Te lo digo yo! El nacido en este país es alegre, muy alegre, le gusta la fiesta, bailar, cantar. Y la verdad: nos gusta convivir con los extranjeros.

-Aplaudo tal comunicación entre humanos, así se enterarán de lo que pasa afuera, en el maravilloso mundo, responde Demóstenes Cuarto. Sostengan diariamente ese intercambio cultural, interétnico, idiosincrático.

-Bueno, bueno, chico, a mí me gusta guiarlos. Darles a conocer mi hermosa ciudad. Así he conocido a muchos estlanjelos. Mejicanos, italianos, españoles. Aunque la mayoría prefiere visitar los lugares turísticos. ¡La veldá! Nunca se acercan a los vecindarios. Nunca les interesa saber cómo vive la gente, el pueblo. Quién sabe, chico, a lo mejor se iban a desilusionar de ver tanta pobreza. Bueno, a ti te felicito por tu vivo y sincero interés por conocernos. Y te lo agradezco en nombre de todos mis paisanos de esta isla. Mira, ahora vamo a entrar a El Floridita, para que tú lo conozcas. Entra, chico, sin pena. No hay ningún problema.

-¿Qué pasó zanca?, lo saluda un negro en la puerta del bar.

-Aquí, con un amigo del país en forma de caballito de mar.

-Pásenle pues. ¡Bienvenido señor!

-Gracias. Muy amable.

-Como tú verás, aquí todos son extranjeros. Hay mucho europeo. Luego se les ve en las facciones ¿verdad? Míralos bien. Con disimulo, chico, por favor. Veldá que tienen diferente su cara a la mía. Lucen blancas, pálidas, rosadas. Bueno, como sus países son fríos pienso que por eso se les congela el pellejo con tanta nieve. Y por lo mismo, pues buscan la playa, el calorcito para derretir el invierno de sus corazones y cuerpos. Pasársela rico metidos varias horas en nuestras aguas tibias. Ah, y déjame decirte, el originario de aquí no puede entrar a estos lugares. ¡Oh no, no!

-¿Por qué no los dejan entrar?

-No, chico, chico. No es eso. No te indignes, calmao. Lo que pasa es que el nativo no tiene dinero pa pagar. ¡Eso es todo! Aquí todo es en dólares. Sólo dejan que uno entre con el turista, porque él paga la cuenta, ¿ya tú me entiendes? Así no hay problema. Como ahora mismo, que yo entro contigo, si tú me invitas una cerveza o un trago de cualquier bebida, no hay ningún problema, porque tú vas a pagar, porque yo no tengo ni un peso isleño, menos un dólar. ¿Ya tú me entiendes?

-Sí, sí. Más o menos.

-Incluso aquí podemos comer una rica y nutritiva langosta si ya tú quieres.

-Aún no tengo hambre, gracias. A lo mejor al rato.

-Ah, bueno, aquí, te voy a contar, es donde venía un famoso escritor, célebre en todo el mundo, a tomarse sus rones. Chico, venía a chupar, a empedarse, como dicen ustedes. ¿Eh? ¿No es cierto que dicen así en tu país?

-Bien que sabes.

-Te digo chico. El negro es listo. Yo a ti no te engaño. Tengo amigos del Cerro de la Silla, de la Perla Tapatía, de la Tierra Camotera, de la Gran Ciudad de los Palacios. ¡Amigos chilangos!, les dicen ¿no?

-Exactamente.

-Ah, pa que tú ya veas que el negro no miente. Y es muy listo. Ah, déjame contarte. ¡Los chilangos son la candela aquí en la isla!

-¿¡No me digas!?

-Oh, sí, sí. ¡Un verdadero desmadre!, como dicen allá, ¿verdad?

-Sí.

-Pa que tú ya veas que el negro tiene memoria y la sabe usar, y es listo siempre. Y tiene inteligencia y alma. Ya no es salvaje, ni caníbal, como hace siglos. Actualmente es muy sociable y, sobre todo, confiable. Bueno, te cuento, chico. A los chilangos, ah, es como si los tuvieran amarraos allá, y aquí se vinieran a desatar. Hombre, que no hay tarde ni noche en que no anden en la torrija. A todas horas andan brinda y brinda. Que hasta a uno se le antoja. Y cante y cante. ¡Que si no!

-Se evidencian muy fiesteros mis paisanos, ¿eh?

-Oyoyoy...Y tú chico, ¿de dónde eres? ¿Acaso del puerto más famoso del mundo? ¡Acapulco!

-No, no soy de ahí. Mi tierra está a unas dos horas del Diamante del Pacífico.

-Que tiene un clima muy agradable, y bonitas playas, y encantadoras mujeres, ¿verdad? Lo sé por las películas que he visto de los años cincuenta y sesenta, las que pasan seguido en la televisión oficial, la única que podemos ver. Ah y ese otro, ¿cómo se llam? Sioa... Sioa...

-¡Zihuatanejo!

-Eso, eso. Nombre muy raro para el negro que, la verdad, no domina bien los idiomas. Supongo es nombre en una lengua nativa.

-En náhuatl, la lengua que hablaban mis antepasados meshicas, aztecas.

-Ah, ¿quiere tú probar el mojito? ¿Aquí en El Floridita? ¡Donde se inventó el daiquirí!

-Está bien, para calmar la sed, porque ya hace mucho calor.

-Chico, que hemo de estar a unos treinta y siete grados centígrados. ¡Venga, hermano! ¡Dos mojito pa nosotro dos!

-Aquí está, señor, nuestra bebida típica, compuesta de ron, azúcar, hierbabuena y limón.

-¡Salud por tu país, y su noble gente, amigo!, dice el negro.

-¡Salud por el tuyo, y su gente noble también!, expresa Demóstenes Cuarto.

-Mira, chico. Ahí está el premio Nobel de Literatura. En esa fotografía. Dentro de ese cuadro. Nos está viendo Ernest Hemingway. Quiero decirte, aquí vienen todos los escritores del mundo, sólo los mejores, cuando están de visita en el país. A tomarse un ron, un whisky, unos mojito. ¿De una vez pido los otros dos?

-¡Me parece genial! ¡Para brindar por la literatura! ¡Contemporánea y universal!, enfatiza el turista.

-¡Mi hermanito! ¡Mi hermanito! ¡Repite aquí! ¡Pero muévete ya! ¡Que te voy a dar una buena propina!

Demóstenes Cuarto, algo nostálgico, memorioso, autocrítico, percibe su rostro reflejado en las botellas de whisky Black Label, Dimpled Haig, Lord Calvert, Old Taylor, Old Forester, Bourbons Jim Bean, Ballantine's, Buchanan's. Entre las viscosidades de su contenido de tonos verde ambarino, azul perla, rojo escarlata, gris transparente, violeta lustroso, dorado translúcido le habla su conciencia seriamente: el presidente nacional del grucodi va a cometer una gran injusticia si no te incluye en la lista plurinominal para ser diputado federal este año; en tu propio partido te sacudirán las aspiraciones políticas que durante cuatro años alentaste con lealtad, trabajo, honestidad; tres años como dirigente estatal, al mismo tiempo que fuiste candidato a diputado local en 1996, candidato a diputado federal en 1997 y candidato a gobernador en 1999. Afrontaste con responsabilidad las tres campañas. Admítelo, no te valoran en tu partido. Con pagarte un boleto de avión, viaje redondo a España o a Francia, ¿van a contentarte? ¿Tan poco vale tu nombre? ¿Tan poco aquilatan tu esfuerzo, entrega, disciplina, capacidad, lealtad, preparación, honestidad?

-¡Salud Méj!

-¡Salud Og!

Sin miedo empina el codo y da tu palabra frente al autor de *El viejo y el mar*, y de *Por quién doblan las campanas*: si no te incluyen en la lista plurinomial vas a renunciar al partido. Pero nunca te doblarás ante la vida. Será un acto de dignidad semejante al de tu renuncia como funcionario estatal de hace unos días. No quisiste continuar en la administración pública de tu estado porque te negaste a ser un funcionario de ornato. De veras te sientes muy lastimado, debido a la experiencia desagradable vivida en la política. No te explicas por qué trastrabillea el dirigente nacional grucodista. ¿Intentan dañarte nuevamente mediante artimañas oscuras?

-¡Saaalud Mééji!

-¡Saaluud Oogg!

En el partido no permiten tu crecimiento. ¡Va contra toda lógica! Si supieran lo que has vivido al dar la cara por el grucodi. Las traiciones padecidas.

-¿Voy o no en la plurinominal?

-Hay muchas presiones, dijo cortante el presidente nacional del Grucodi en la última conversación con él.

-Pero deben ser externas, ¿o son presiones dentro del mismo partido?

-Son externas... claro... claro...

-No es posible. ¡Si ahora es cuando más espacios y oportunidades existen! Vamos en coalición en la elección presidencial. Me enteré en los periódicos que los derechosos cedieron once candidaturas plurinominales federales al grucodi.

-¡No, no! Eso está muy difícil.

-¡Saaalud Mééėji!

-¡Saaluud Oooggg!

-Vamos por la presidencia de la república. Ya vendrán otras oportunidades de desarrollo y de crecimiento para todos.

-Soy suplente. Estoy a un paso de ingresar al Congreso de la Unión como diputado federal propietario. ¿Qué pasa? ¿Por qué no me apoyan? ¿Porque no defiendo los intereses de los ricos?

Presionabas al dirigente nacional para conocer su palabra, el valor de su palabra, porque la palabra de la mayoría de los políticos es una palabra hueca, vacía, sin ningún valor. Ellos son simuladores, mentirosos, manipuladores. La voz de los políticos ha mancillado, prostituido, violado a la palabra. Tú deseabas defenderla, reivindicarla en tu experiencia como político ecologista. ¡Querías que recobrara su dignidad, su valor, su poder! ¡Su fuerza moral y ética! ¡La palabra fuente de luz del lenguaje! ¡Generadora de esquemas mentales de bien! ¡Herramienta de creación de la naturaleza! ¡Nos hace verdaderos humanos!

-¡Ya está!

-¿Ya está qué?

-Te podemos ayudar con los boletos de avión si vas a hacer algún viaje al extranjero. A España o a Francia... por ejemplo... Para que te distraigas unos días.

-Gracias.

-¡Tú dime!

-No sé. Después le doy una respuesta.

-Hay que mantenerse en contacto. Y tener mucha paciencia. Eso es todo. Hay que esperar los momentos.

-Usted sabe bien que detesto la mentira, el engaño.

-Si decides viajar unos días, antes de que te vayas, háblame por teléfono. Para que nos veamos y platiquemos.

-Le llamo entonces. Hasta pronto.

El tibio sudor lima suavemente la piel de frente, espalda, piernas. Ya llevan ingeridos cinco mojitos cada uno. Demóstenes Cuarto advierte las mejillas hinchadas, algo ardientes por el calor. Empieza a sentirse mareado. Algo extraño experimenta desde hace unos minutos. Resuenan en su mente palabras, frases, oraciones de múltiples voces de jóvenes, adultos nativos de la isla con las quejas de sus vidas amargas en los labios. ¡Imposible salir del país! ¡Pero a dónde van, chicos! ¡Si aquí tienen todo! Comida segura, trabajo seguro, escuelas seguras, hospitales seguros. ¡Un futuro seguro por amor a la Revolución! Afirman los defensores del sistema. Sí, claro, contestan los opositores, anónimos, silenciosos, la mayoría de habitantes: ¡Un futuro seguro de esclavitud! ¡Vivimos arrodillados, señor, con la bota militar sobre la nuca! ¡Somos unos perros amaestrados! De repente frena la marcha corporal Demóstenes Segundo. Apaga la pequeña grabadora oculta en la bolsa de la camisa. Perfila una enorme fila de personas en eso que parece un parque. Decenas de miradas lo escudriñan de arriba abajo a cada paso con la videocámara en los brazos. Tal vez sea un ser extraño, ajeno a su realidad calurosa, a su modus vivendi, a su idiosincrasia. Demóstenes Segundo mira los pies y brazos de estatua orientados hacia el infinito. Tal será su necesidad y deseo de entrar que no reflejan rasgos de fatiga en sus semblantes. Estarán acostumbrados a permanecer de pie todo el día haciendo filas interminables en infinidad de sitios expuestos al lacerante sol.

-¿Disculpen, aquí qué dan?, pregunta a unas jovencitas.

-Por Dios, señor. Aquí no dan nada. Esta gigantesca cola es para entrar a comer helado. Pero uno tiene que pagar. En pesos cubanos, claro está. Transcurridas unas dos o tres horas podremos ocupar una mesa y saborear el helado. ¿Usted quiere formarse?

-Este... gracias. Sólo tenía curiosidad por saber qué pasaba con tanta gente. Quería confirmar si aquí había otro puesto de razonamiento de comida. De los varios que tiene instalados por la ciudad el dadivoso Estado, el generoso Gobierno. O si había un mitin multitudinario, una manifestación masiva en pro del sistema ideológico social. O, por fin, en contra del omnipotente Estado. Gracias por su información.

En lo alto de un tubo sobresale el nombre del lugar: Coppelia. ¿Tanto tiempo empleado para simplemente comer un helado? ¿Cuándo surgirán las protestas de los ciudadanos? ¿Cuándo estallará la revuelta social en todo el país? ¿Cuándo derrumbarán al sistema que los oprime desde antes de nacer? ¡Respaldemos la lucha ciudadanos de todo el mundo! Ruidos del televisor despiertan a Demóstenes Tercero de un profundo sueño. Se veía tan revolucionario pasear por los andadores de un parque repleto de plantas, arbustos, árboles intensamente verdes. Luego platicar durante horas con tres atractivas damas elegantes formadas en una interminable fila. Oh, para su desconcierto y asombro de antología, en la pantalla enajenadora y manipuladora de conciencias no sólo en este país sino en todo el mundo, ese famoso invento llamado televisión, todavía hablaban sobre el caso Elián. El niño que naufragó durante cinco días, con sus noches, por el océano Atlántico, en cuya travesía su madre, junto a diez personas más, fue devorada por los tiburones, según los comentaristas. El niño de seis años de edad, dentro de un neumático, donde lo pusiera su mamá, atravesó el océano en dos días, protegido, milagrosamente, por unos delfines que lo cuidaron de los tiburones durante cincuenta horas, según los comentaristas de voz hipnótica. Tiempo en que recorrió casi cien kilómetros lineales desde que saliera de la isla, y tocó las costas de Miami donde fue rescatado por la guardia nacional de los Estados Unidos. "De seguro inventaron el cuento del naufragio. Un asunto delicado, muy complejo, por demás politizado, que enojó a los gobernantes de la isla y complicó las de por sí tirantes relaciones con el gobierno del país de la sociedad de consumo por antonomasia, del hot dog y la hamburguesa, de la cultura ligth, chatarra, destructora de los valores éticos y morales, que amenaza adoctrinar compulsivamente mediante su sistema capitalista tecnológico enajenador a todo habitante del planeta sin distinción de raza, edad, sexo, religión". El país protagonista del bloqueo comercial económico financiero a la isla, casi grita el presentador, desde hace más de treintaicinco años, camaradas. Por supuesto que nuestro gobierno revolucionario, garante de las libertades individuales, siempre respetuoso de los derechos civiles del hombre y del ciudadano, ejemplo único en América, se propone, a toda costa, traer de vuelta al balserito, no va a permitir que el supuesto país número uno de la democracia y la libertad en el mundo dé cobijo al pequeño hijo de esta tierra patriota. Sería un mal ejemplo para los demás hijos de la Revolución, muchos desearían repetir la aventura, podrían venir subsiguientes naufragios a imagen y semejanza de los ocurridos en los setenta. Aquellos recordados marielistas. Con otras desbandadas aumentarían los más de quinientos mil exiliados en Miami. ¡No lo vamos a permitir, camaradas! "Aunque, por otro lado y en otra óptica, muchos ciudadanos gringos consideran que no devolver a Elián a la isla sentaría un mal precedente a los Estados Unidos cuando los padres de ese país reclamen a un hijo en otras naciones. El caso es que el gobierno de la Caña de Azúcar y Puros Hechos a Mano no le pide de favor sino que le exige al gobierno Lanzador de Cohetes Espaciales dejar en libertad al pequeño Elián. Lo manifiesta con gestos severos y voz autoritaria el presidente de la Asamblea Nacional en ese programa de televisión que lleva más de dos horas tratando de lo mismo, sin interrupción, sin cortes comerciales. Minutos antes, dieron a conocer, durante horas, el viaje de las abuelas de Elián a territorio de Mickey Mouse, Bugs Bunny y el Pato Donald. Y de Deysi y Clarabella. Narraron todo todo, desde su salida de la isla, aquello hecho en el avión, lo que sentían, si estaban mareadas por la altura; algunas impresiones por su permanencia en Miami; conferencias de prensa, flashazos, entrevistas con los congresistas norteamericanos, el frío que pasaron y por el que se estaban congelando en Washington, todo todo, casi casi que comentaron lo ocurrido cuando fueron al excusado". Este estilo de presentar noticias y de tratar la información lo desconcierta al compararlo con el noticiero de televisión más importante de su país que dura una sola hora, durante la cual se tratan múltiples temas del país y del resto del mundo cada tres minutos. Mejor apaga el aparato. Suena el teléfono. Descuelga el auricular.

-Hola, chico, ¿qué tú estabas haciendo?

-Veía la televisión... un... no sé cómo llamarle... si noticiero... o programa... o documental… o telenovela… o película… Bueno... veía la televisión. Y... pensaba en ti.

-Ah, chico. ¡Qué cosa dices tú! ¿Y qué pensabas de mí?

-Que no me hablabas... Sabes... me agrada oír tu voz... tu tono de voz... tu acento... Me excita un poco... ¡Ya te quiero ver!

-Mañana, chico. Espera un poco... Hoy no puedo... A ver, dime: ¿qué es lo que tú quieres? Anda. Dímelo, chico.

-¡Quiero estar contigo!

-Pero... ¡es muy pronto chico!

-Ya tengo ganas, ¡ándale! ¡Con estos calores!

-Necesito conocerte un poco más. Esta es la tercera vez que platicamos. Bueno, chico. Ahora tengo que irme. Bueno, nos vemos de una a una y media en tu hotel. Ahí pasamos a verte.

-¿Pasamos? ¿Con quién vas a venir?

-Con Hortensia.

-¿No la puedes dejar?

-¡Chico! Ella me va a acompañar. Sola no puedo ir. Porque si me llega a ver mi marido, bueno, quiero que tú sepas que estoy casada. Bueno, ya platicaremos de esto. Te digo, al salir con ella, le puedo decir que, bueno, fuimos a uno de sus asuntos. ¡Hombre! ¡Que yo la acompañé! ¿Tú me entiendes?

-Sí, sí. Está bien.

-No te vayas a ir a otro lado, ¿eh? Recuerda, chico, hay muchas enfermedades allá afuera, en la calle. La gonorrea, la sífilis, el sida. Recuerda, chico, si sales a algún lado, no olvides los preservativos, y cuídate de las jineteras. ¿Me oíste?

-Sí, sí.

-Recuerda, chico. ¡No te dejes engañar! Nos vemos de una a una y media en el hotel. ¿Me oíste?

-¡No se me olvida ya! Aquí me encuentran.

-Y de ahí vamos a... ¡a donde tú quieras! ¿Me oíste?

-¡Perfectamente! ¿A donde yo quiera?

-Sí, chico. Donde tú quieras. Hasta pronto. Te mando un beso.

-Igual, Consuelo.

Demóstenes Tercero cuelga el auricular. Enciende nuevamente la televisión. Canta un señor gordo, gordo, negro, negro, trajeado, arrepegado a un piano de cola. Bola de Nieve, de Nieve... Luego pasan imágenes de El Negrito Valdez... Valdez... de la orquesta Casino de Playa… y de Van Van... Van Van... Otra vez apaga el aparato. Mejor se acuesta. Un ligero mareo estremece todo su cuerpo. Cierra, abre los párpados. Se sacude la cabeza. Respira profundamente. Pide la cuenta, paga condescendiente, sale del lugar escoltado por el guía espontáneo.

-Ya has conocido El Floridita, chico. ¿Quiere tú seguir caminando?

-Desde luego, Og. A eso vengo. Por eso me compré estos tenis. Para aguantar las jornadas maratónicas, contesta Demóstenes Cuarto.

-Bueno. Vamo entonce, chico.

Pasan por el Capitolio, sede de la Academia de Ciencias del país y de la Librería Nacional de Ciencias y Tecnología. Visitan la Plaza de Armas, el Museo de la Revolución, la Catedral, la Universidad. Recorren los parques Simón Bolívar y Humboldt. A cada tramo el nativo le muestra con aires de botánico los árboles más exóticos de cada jardín: ocuje, yagruma, almendro, majagua, flamboyán rojo, flamboyán amarillo, palma botella y la especie nacional, la palma real. En todo momento encuentran grupos de extranjeros con camisas floreadas, chores fosforescentes y tenis blancos.

-Aquí están los lugares turísticos, revela Og. Ahora te voy a llevar a lo que es la verdadera ciudad. Donde vive el pueblo. Vamos a caminar por la avenida 23, la más famosa de la ciudad, cruza todo el Vedado. Desde la esquina L. Y otro día iremos a la Quinta Avenida, ya si tú quieres.

-Perfecto. Vamos sin tardanza.

Antes de quedar dormido, acostado bocarriba sobre la cama, pasan Consuelo y Hortensia al hotel. Las dos visten falda corta color plata y leotardo cereza. Calzan tenis blancos. Te llevaremos al otro lado del puerto, al Morro, de seguro te encantará, Dem, como a tantos turistas extranjeros que hemos conocido. Sí, gracias, adelante con el plan, contesta Demóstenes Tercero. Toman un taxi del estado, porque es más seguro, chico, aseguran ellas en coro. Minutos después atraviesan un túnel. A la salida de éste saluda un enorme letrero con tonos naranjas encendidos: Tenemos Socialismo. El taxi asciende lentamente por una curva en un cerro pequeño. Hallan un retén. Ahí Demóstenes Tercero paga las entradas. De una vez al taxista por el servicio del traslado. Éste los deja un poco más arriba. Un lugar con mesas de metal y sillas de plástico blancas jala sutilmente sus pies. Se sientan confortablemente cerca del mostrador de madera barnizada. Por ahí asoma la cabeza de un hombre. Consuelo y Hortensia le piden dos emparedados de jamón con queso al exhibirse de cuerpo entero con un mandil floreado puesto. Demóstenes Tercero no quiere nada, aún se siente lleno por tanto que comió en el desayuno. Sí acepta de buen agrado una cerveza cristal. Brindan por el placer de conocerse. Entrechocan las botellas de vidrio ante la mirada complacida del vendedor. Ellas están inmensamente alegres. Entre los auténticos turistas se consideran dos más venidas de los lejanísimos Reinos Prohibidos de las Dinastías Ming. Nunca habíamos estado aquí, chico. Es nuestra primera vez. Y toda la vida lo habíamos deseado. ¡Para celebrarlo, de verdad, chico! Muy bien, distinguidas damas. Salud. Salud. Salud. Piden otra cerveza. Salud. Las doncellas se la toman como si fuera agua purificada de los Himalayas o jugo de alguna fruta tropical exótica caribeña. Salud. De tres empinadas. Salud. Y piden otra y otra. Salud. A la quinta Demóstenes Tercero les dice que ya es tiempo de ver los cañones, necesita tomar unas fotografías, aprovechar la claridad inigualable de la luz solar. Está bien, chico, lo que tú ya digas. A ver si en otra ocasión nos invitas a comer una rica langosta. De acuerdo, mis samuráis. Paga la cuenta. Ellas agradecen tanto derroche de amabilidad, sonriendo, inclinando la cabeza, cómplices de un juego secreto. Advertido por Demóstenes Tercero desde la llegada de ellas al hotel. Suben por el terreno pedregoso de la zona turística. Se dejan conducir por un andador de piso empedrado que desemboca directo en un bar. Las gepeése humanas entran a curiosear con sus señales satelitales funcionando al máximo. Se acercan cual autómatas a la barra. Demóstenes Tercero ahora confirma que tal estructura tan dadivosa de bebidas adormecedoras de la mente, relajantes del cuerpo, actúa cual imán irresistible ante las flores endémicas de esta isla. ¿Quieres tú probar la cerveza de Malta, chico? Pregunta Consuelo con los pétalos humedecidos. ¡Como ustedes quieran!, responde el visitante. ¡Piden tres! Salud. Salud. Salud. Tiene un sabor diferente, como de raíz, medio chocolatosa. Paga otra cuenta a buen tiempo. Salen por el frente del restaurante. Afuera, numerosos turistas sentados a las mesas circulares blancas con sombrillas abiertas en el centro contemplan en toda su extensión la bahía habanera. La manta azulina de agua reverberante le recuerda a Demóstenes Tercero a la veraniega isla de Ibiza, a las cristalinas calas del Mediterráneo. Las manos de la creación agitan los pliegues azulosos ligeramente entre varios algodones equidistantes. Fotografiada tres, cuatro, cinco veces la panorámica excepcional, bajan por unas escaleras estrechas que terminan en un pasillo ancho, cinturón de la edificación parecida a la del Fuerte de San Diego de Acapulco. Abajo las olas con el canto monocorde del mar revientan su espuma de algodón contra las rocas. En el último desnivel del andador les dan la bienvenida los siete cañones de hierro, algo oxidados, de unos tres metros de largo, alineados perfectamente hacia la superficie acuosa esmeralda retando a la cámara fotográfica. Cuando busca a Consuelo y a Hortensia, ellas están en pose, impacientes por que les tire unas fotos de igual manera. ¡Con la bahía al fondo! ¡Y que salgan bien, chico! No dudamos de tu profesionalismo, seguro eres un excelente fotógrafo. Quietecitas mis duquesas entonces. Las enmarca con sus sonrisas exageradamente forzadas entre un monumento de bronce a la derecha y unos edificios altos a la izquierda en tercer plano. ¿Listas? Sonrían con naturalidad, ¡a la de uno!, las cortesanas se arrepegan más, ¡a la de dos!, y más fingen sus sonrisas las cuarentonas, ¡a la de tres! Le da la cámara a Hortensia. Se la encarga mucho. Toma de la mano a Consuelo. Con ella va hacia la esquina de la construcción rectangular. El mar rebosante de alegría pigmenta los cuerpos de refrescantes gotas diamantes. Demóstenes Tercero se vuelve por un momento. Traza con el haz de su vista todo el cerro. El restaurante queda oculto en la parte más alta. Nadie aparece por allá arriba. Nadie puede verlos. Menos si se acercan más al símbolo castrense de la Invasión Española, al monumento erigido a la pólvora. Consuelo se recarga a las ruedas de hierro medio oxidadas del cañón. Jala fuerte a Demóstenes Tercero. Lo abraza y besa. Explora su cuerpo hasta encontrar el otro cañón. Cañón carnoso que él empieza a cargar con suficiente pólvora. Consuelo se baja la falda, él se desabrocha la camisa, ella se quita el leotardo, él se baja el pantalón en un juego de máxima velocidad excitante, ella le saca su cañón, saboreándoselo con la lengua lustrosa; él le pone una funda grisácea, cebosa. Ella se agacha a besarlo, chuparlo, disfrutarlo dentro de la garganta. Terminado el saludo cariñoso de la mujer, él encañona a esa mantarraya provocativamente seductora que agita el viento. Sus neuronas hirviendo dan la orden. ¡Preparen! ¡Apunten! ¡Listos! ¡Fuego! Tiene los ojos cerrados. Consuelo le besa su oreja izquierda. Explora su oído con la lengua punzante acuosa. Cuando él abre el catalejo derecho ve a unos metros a la ninfa Hortensia: le sonríe, agachada, igual que una niña al ser descubierta en una travesura: chupándose el dedo gordo de su mano derecha, se frota los senos con la otra. Mueve las piernas sin dejar de verlo. La llama seductor con la mano derecha. Entonces cambia de carabela. Se coloca a babor. Carga otra vez suficiente pólvora. Encañona con la funda reglamentaria y da la orden rigurosa. ¡Preparen! Consuelo no deja de morderle las orejas y el cuello suavemente. ¡Apunten! Hortensia le muerde los labios delicadamente. ¡Listos! Los tres cuerpos trenzados explotan en miles de chispas hormonales estremeciendo los sólidos cañones de hierro. ¡Fuego! Funden sus pieles en el crisol de la felicidad eterna entre las partículas del aliento hirviente del cielo azuloso. Una violenta descarga química, psíquica, espiritual recorre el cuerpo de Demóstenes Primero, acostado plácidamente bocarriba en la cama, dentro del cuarto del hotel, recién llegado hace unos minutos de su país, a segundos de recuperar las fuerzas anímicas disminuidas por el viaje de varias horas, con ganas ya de salir a conocer la isla de ensueño. Siente un veloz cosquilleo erizarle cada milímetro de piel. Algo entre sus piernas crece endurecido apuntando el techo. Consuelo y Hortensia quedan fascinadas y agradecidas con la vida por atestiguar tal prodigio. Nunca hubiesen imaginado que antes del ocaso tendrían tamaña exhibición única, privada y a todo color, desde otra fortaleza, de un conquistador meshica. La ceremonia vespertina del cañonazo mexicano. Con toda la potencia real, fuerza genética de sus razas ancestrales, las elevó a los cielos de otros mundos jamás soñados por ellas. Consuelo, jadeante y temblorosa aún, reponiéndose poco a poco del viaje al verdadero paraíso de este mundo, comenta compungida que es hora de volver a casa. Los tres abrazados, relajados, satisfechos, se dirigen hacia afuera. Callados, sin decir nada, cariacontecidos, suben a un taxi. Al avance de éste, en medio de las dos marquesas, Demóstenes Tercero registra espectaculares que en lugar de anunciar productos chatarras de la sociedad planetaria de consumo, de empresas trasnacionales, tienen leyendas impensables en los países occidentales: ¡Viva Fidelio Cástulo! ¡Viva el Chel Guivaro! ¡Ahorro base del desarrollo! ¡Vivimos por la patria! ¡A las armas si fuera necesario! ¡Todo por la Revolución¡ ¡Viva el Socialismo! ¡Devuelvan a Elián a la patria! Algunas paredes muestran carteles con la imagen del papa Juan Pablo II. Cuarenta minutos más tarde penetran por unas calles angostas sin pavimentar. Las baronesas se bajan en un barrio tradicional de la zona como devastada por una guerra desde hace lustros. Mañana te llamo, dice Consuelo. Se despiden los tres con un chao, chao frotándose los labios. Demóstenes Tercero pide al taxista que lo lleve a casa del Chino, le indica la dirección con una tarjeta en la mano. A éste le salda la cuenta económica pendiente de su hermano Demóstenes Cuarto, quien le encomendara tan delicado asunto desde anoche. El Chino ni se percata de que es otra persona. Simplemente le dice muchas gracias, chico, inclinando la cabeza. Más tarde lo dejan en el Parque Central. Mucha gente conduce motos y triciclos por las calles. Una señora y una niña en la banqueta esperan que un hombre arregle la cadena de su bicicleta para poderse subir. El sol tuesta implacable las pieles negras cenizas de las personas sudorosas. Algunos niños descalzos, de short y playera, despeinados, ruedan llantas de bicicleta sin ring ni cámara sobre la tierra polvosa, caliginosa. Se corretean unos a otros hacia una meta imaginaria. Otros infantes, al pie de las columnas de los edificios, juegan a las canicas con diminutas piedras redondas, en lugar de mundacas o cuirias. ¿Con tales juguetes y juegos se divierten los niños? Para quienes no existen los cochecitos de control remoto ni los videojuegos ni el nintendo ni los robots de plástico ni las muñecas barbie. Agrupados en pequeños conjuntos señores en chanclas, con semblantes inexpresivos, juegan dominó o a las cartas sobre las banquetas de cemento calientes. Los edificios exhiben su peor fisonomía: descascarados, mal pintados, sin remozar, salitrosos, fríos. A lo mejor una guerra los dejó casi desechos. Los balcones y terrazas demolidos evidencian a gritos la catástrofe sufrida. Integran el escenario de un gran museo a los cuatro vientos especializado en arquitectura de la segunda mitad del siglo XX. Demóstenes Cuarto cree haber regresado en el tiempo. La historia del hombre moderno se detuvo en este país hace cincuenta años. No marcha al ritmo de todos los demás. Después de varias horas de minuciosa contemplación arquitectónica de la misteriosa ciudad, declarada por la Unesco Patrimonio Cultural de la Humanidad en 1982, en las que se pueden apreciar reminiscencias dóricas y jónicas, así como destellos barrocos, con las marcadas influencias, durante las ocupaciones respectivas de la isla, española, francesa, inglesa y estadounidense, finalmente llegan a donde vive el entusiasta guía voluntario.

-Pásale, Demos.

-Gracias, Og.

Entran por un enorme portón de madera de cedro ancho. El pasillo los conduce a un patio largo, de una vecindad, muy parecida a las que viera alguna vez, en sus tiempos de fotógrafo universalista, en las colindancias a la capital de su país: en ciudades como Chalco, Chimalhuacán, Nezahualcóyotl, Ecatepec. Las paredes y los techos parecen de tablarroca y cartón. Con un temblor de 6 grados o con un huracán, tipo Paulina, aquel que azotara a Acapulco en 1997, esto se vendría abajo en un minuto, deduce Demóstenes Cuarto.

-Pero, por Dios, cómo se atreve este muchacho a traer a este señor turista aquí. Este negro se ha vuelto loco, alcanza a escuchar Demóstenes Cuarto cuando sube por unas escaleras desniveladas. Ve a una mujer enojada, de piel de ébano, en unos lavaderos, en medio de unos tendederos de ropa.

La casa de Og queda en la parte de arriba. De unos tres metros de ancho por nueve de largo. ¡Semeja el cuarto de soltero de un estudiante universitario defeño!

-Aquí vive toda la familia. Y somos seis, dice el negro. Aquí tenemos cocina, cuarto, baño, comedor, sala, pero sin muebles. Como ya tú ves. En la salita tenemos un quemador que funciona con petróleo, una mesa de madera con cuatro sillas y una grabadora. En el cuarto dos colchones sobre el suelo y un anaquel con ropa doblada. Un tendedero sin ropa atraviesa el lugar a todo lo largo. Y lamento chico que no te pueda ofrecer nada de comer. Mi novia no ha ido al mercado todavía. Ni siquiera puedo ofrecerte algo de tomar. ¡Ni agua tenemos!

-No hay problema, Og.

Más tarde visitan una panadería. La gente amontonada a minutos de recibir un bolillo como todos los días. Algunas señoras en chanclas, muy orgullosas, le muestran con la mano en lo alto su cartilla de racionamiento. En la farmacia Demóstenes Cuarto prefiere no entrar. Tampoco en la tienda donde entregan el arroz.

-Unos cuantos kilos al mes, exclama Og. Ah y la leche es gratuita y solamente para los niños menores de seis años. Y la verdad mucha gente ya está cansada de comer poco y lo mismo siempre. ¡Pero qué le vamo hacer!

Las mujeres y hombres, la mayoría en sandalias y de prendas livianas, con tenues gotas de sudor en la frente, se quedan viendo a ese señor observador. Diferente a ellos por la indumentaria nueva, el calzado nuevo y el rostro juvenil, y su forma de hablar solemne. Cartelones con la imagen del presidente de la república, y del revolucionario argentino el Chel Guivaro dicen adiós pegados en los muros de las casas. En la fachada de una como oficina un rótulo dice: Comité de Defensa de la Revolución. Y un letrero: "La patria es ara y pedestal".

Después de visitar los parques de la Catedral, de la Fraternidad, de los Puentes y de la Virgen del Camino, y las fuentes de Neptuno y los Leones: pisan ¡La Bodeguita del Medio! Lugar tradicional para tomar mojitos le asegura el negro sonriente. Una casa de dos pisos en cuyas paredes quedan coloreadas las firmas de sus visitantes. En su mayoría turistas. Europeos preponderantemente. Ingeridos los tres mojitos de rigor, Demóstenes Cuarto decide estampar su huella caligráfica en una enorme botella de plástico amarilla que llega al techo y promociona el ron Havana Club. Ahí los tienta el caminero. Se lo toman alegremente.

Cuando salen, con los cuerpos tambaleantes y medio lampareados por las bebidas, la noche pasea inquieta por las calles. Demóstenes Cuarto, azuzado por la temperatura corporal en aumento, persigue con la mirada a unas mujeres de prominentes caderas.

-No te desesperes, chico, le vocifera Og. Que al ratico vas a tener una mulata pa ti solito. Una chica seria. Joven, muy joven. Bonita. Ah y sabes qué, vamo, vamo a ver un amigo. ¡De una vez! Un amigo de confianza. Pa alquilar una casa. Porque, ya tú sabrás, tú al hotel no puedes llevar a ninguna chica. Y a la casa sí. Una casa limpia, muy barata. Por veinte dólares el día, con su noche. Ya tú verás. Vamo.

El dueño es un negro. Apodado el Chino por sus rasgos de la milenaria raza asiática estampados en la cara. Curiosa mezcla anatómica, digna de exhibirse como algo realmente único, tal vez en un circo de especies biológicas en vías de extinción, concluye Demóstenes Cuarto con mentalidad de antropólogo social. A la hora que quieran traer a la chica, les susurra haciendo reverencias parsimoniosas, igual de lentas a la emisión de sus palabras. La casa es para ustedes solitos. Demóstenes Cuarto pregunta la hora. Van a dar las nueve de la noche.

-Ummm, no me da tiempo de ir y regresar del hotel Marosa.

-Bueno, chico, paso aquí por ti en una hora, manifiesta Og.

-Aquí estaré listo.

Se ducha con agua fría porque no hay caliente. Quiere revivir del cuerpo, del alma, de la mente. Presiente adolorida la cabeza. ¿Síntomas de la resaca? ¿De la borrachera consuetudinaria? Saca la pequeña grabadora y el cuaderno de apuntes de la mochila. Escucha con atención las declaraciones de la gente.

-Lo que yo quielo, señó: lo voi a decil ahola mimo sin miedo: que ya desapalezca el balbón éte. ¡Pol mi madle que ólo así va a cambial eto!

-¿Se opondrían al cambio de sistema, doña?, interroga Demóstenes Segundo.

-Pelo chico, eso quelemo, pol dió que ya no aguantamo má, pue qué catigo e éte.

La mujer se limpia las lágrimas con los holanes de su vestido. Por su piel brillan intensamente las tonalidades del continente negro. Es robusta, a pesar de sus sesenta y tantos años de edad.

-Toda mi vida, señó, tlabajando, tlabajando como betia, pa qué digo yo. Si no tengo ni un puño de tiela donde molilme. Qué le voi a dejal a mi hija. ¡Nada, pol dió! Como uté ve: ¡todaía vivimo como eclavo! Somo: ¡lo eclavo del gobernante balbón!

Truena la voz de todo un pueblo. Tal si sus palabras formaran el eco de un clamor doloroso resonando silenciosamente entre las olas espumosas del mar, del mar Caribe: evaporado en la superficie del muro del Malecón, en el asfalto del Paseo del Prado. Nunca amplificado hacia las estrellas por miles de gargantas de niños, jóvenes y ancianos porque entre el cielo y la tierra unas manos militares siempre están alertas para estrangularlo apenas levante el vuelo.

-Mi sueño, señó, ela salil de la ila y conocé mundo, mucho mundo. De joven quise éso, pelo, como ve, aquí etoy, ¡vea uté!, etoy viejja, viejja, viejja. Epelando la muelte. Un día de eto. Va a vení po mí. ¡Qué emedio! Pa eso naí: pa tlabajal, pa tlabajal como betia, toda la vida, la vida entela, como betia. Pa un buen día... molilme... ¡molilme! ¡Y ya! ¡Se acabó, se acabó Domitila!

A través de sus negros ojos se mecen desbordándose las aguas cristalinas del océano Atlántico por cuya superficie ondulante tempestuosa navegaron hacía siglos cientos de barcos con miles de sus antepasados, traídos de África como animales, amarrados a una cadena, por decenas de invasores europeos que a punta de destrucción violaron las tierras vírgenes del nuevo continente. Los descendientes de aquellos esclavos sobreviven en condiciones de trabajos forzados y siguen amarrados al grillete de una utopía inventada por modernos conquistadores piratas que la salvaguardan por su ambición y codicia cual si fuera un gran tesoro. Con el látigo utópico del socialismo sangran el alma de este pueblo manso, noble, callado. Bucaneros que soñaron en convertir este puño de tierra en el Jardín del Edén, sin imaginar que con los años lo iban a transformar en un infierno para muchos de sus once millones de habitantes. Los menos aún se deslumbran por la barba y el puro del último revolucionario del siglo XX, quien, paradójicamente, después de cuarenta años de mantenerse en el totalitarismo absoluto, será recordado como el primer dictador del tercer milenio en el mundo. Demóstenes Primero guarda la grabadora y la libreta de apuntes en la maleta. Ajusta el cierre de ésta, coloca el candadito en las orejeras. Producido el sonido clic tiene la plena seguridad de que sus objetos personales no van a ser husmeados por nariz desconocida alguna. Sale del cuarto. Esas previsiones las toma en consideración siempre que lleva consigo su diario personal. Mucho le molestaría saber que alguien escudriñara entre las hojas de papel sus palabras, pensamientos, planes e ideas. Tiene entendido que la única autorizada para entrar a la habitación es la recamarera. Ella, al menor ruido en el pasillo, quizá, estará alerta a investigar lo que pasa, para ir con los administradores del hotel con el cuento de que ahí, entre los huéspedes, se oculta un enemigo del sistema comunista, del régimen socialista, de todos nosotros pues. Quizá un espía de la mafia de *Miamibich* o un agente de la CIA. Denunciemos ante Migración el suceso. ¡Pero ya, chico! Porque ya tú sabrás con qué malas intenciones vendrá este tipo. El rostro oscuro seductor de la recamarera aparece reflejado en los espejos del elevador, narrando exaltada, detalle por detalle, las conversaciones telefónicas de ese extranjero con quién sabe qué contactos en la isla, oídas al pie de la puerta. ¡Te lo digo yo chico! Quizá ese señor con una cicatriz en la frente divisora de su mejilla derecha, de pie cual estatua en el vestíbulo, será quien lo delate, lo aprese. La cara hosca no oculta a un excombatiente en la bahía de Cochinos. Un fiel servidor de la Revolución. Precisamente por el sudor y la sangre vertidos en la arena de la playa, en el campo de guerra, ha merecido la gratitud del comandante supremo, por ser un héroe, y por eso vive con absoluta tranquilidad como gerente de este hotel. Deposita la llave sobre la cubierta brillante de mármol verdoso, donde la anatomía de tez oscura, pelo chino, rostro adusto, imaginada de la recamarera, transmuta en una cara sonriente, rubia, güera que habla por teléfono. Por las gradas de la entrada del hotel elude el servicio de taxi. Ansía caminar varias horas. Su sistema circulatorio, pulmones, corazón y cerebro lo agradecerán el resto de su vida. Estira fuertemente las extremidades. Desde meses atrás pide a gritos tal ejercicio elemental su organismo biológico. Hoy lo activará vigorosamente hasta caer exhausto. Golpes metálicos interrumpen la relectura de estas líneas: los sonidos agudos avivan la memoria perceptiva. Se levanta rápido de la cama. Guarda la mochila, con la grabadora y el cuaderno de doscientas hojas adentro, abajo de la cama. Demóstenes Cuarto abre la puerta del cuarto. Es Og con la enorme garra derecha en señal de hola, irreconocible, vestido de traje: saco azul y pantalón blanco, dentadura de marfil abrillantada, con su novia al brazo izquierdo de blusa y pantalón negros, y a lado de ella una jovencita de vestido rojo, risueña también. Se estrechan las manos. La amiga de su novia tendrá unos veinte años de edad y es muy alta.

¡Buena suerte y que se diviertan mucho!, musita el Chino inclinando la cabeza, con las manos juntas sobre el pecho. Una adolescente entra contorneándose disimuladamente. Demóstenes Cuarto siente la suavidad de unos senos prodigiosos electrizarle el brazo derecho mientras una mirada implorante de caricias atrae su debilitada razón con fuego hormonal inextinguible.

Durante el lento andar, Demóstenes Cuarto practica, paso a paso, el sabio hábito de permanecer callado ante los desconocidos. Di algo Demos, exhorta Og. Más adelante, contesta aquél, fiel a cumplir su máxima el mayor tiempo posible. El propósito de su visita a la isla es, entre otros, para buscar, en efecto, una mujer, pero con otros atributos. Reconoce sinceramente en la muchachita a su costado izquierdo, del brazo, inmejorables encantos: piel suave, huesos tiernos, carne fresca. Alimento corporal femenino tan nutritivo, tan rejuvenecedor para todo varón que se precie. Qué más pedirle a la vida. Mujeres y hombres conversan de pie, calzados con las clásicas chanclas, muy dicharacheros, en las puertas de sus casas. Enamorarse de ella será una falsedad, en serio, para qué engañarla, para qué engañarse. Sí le gusta, por supuesto, con esos labios protuberantes de boxeadora a un gancho al hígado de ser noqueada. Invitan a ser mordidos para extraerles todo el jugo de su vida. ¡Ánimo Méji!, dice Og, agarrado a la mano de su novia, adelante de la pareja dispareja por las estaturas y las edades. La atmósfera ardiente envuelve los cuerpos de transitar asosegado por las calles del barrio chino. Muchos jóvenes charlan en pequeños grupos a ambos lados del camino. Esculpen a las dos parejas de movimientos parsimoniosos hasta que transponen las siluetas en la discoteque Los Tres Cochinitos. Las mujeres toman la decisión, concedida sin objeciones por los varones, de buscar una mesa junto a la pista, en el fondo del local. La hallan a su exquisito antojo abajo de la cabina de sonido.

-¡Para disfrutar mejor la variedad!, grita Og extasiado.

-Está perfecto. Como ustedes digan, responde Demóstenes Cuarto. ¡A complacencia de las damas!

-¿Qué compramos, Demos?, pregunta Og. Podríamos comprar copa por copa pero aquí salen carísimas, hombre. Mejor una botella de ron, chico. Yo te recomiendo. Allá abajo cuesta... unos... ¡veinte dólares! Yo puedo ir por ella. Yo la puedo pasar, no hay ningún problema. ¡Está bien la botella, chico! Para que estemos a gusto toda la noche. ¡Ya, no lo pienses más!

-Aquí está un billete de veinte dolarucos, dice Demóstenes Cuarto.

Desaparece Og entre las mesas y la gente. Las mujeres sonríen felices, moviéndose en los asientos al ritmo de la música de rumba y de cansino. Son Los Van Van, informa una de ellas. ¡Una florecita para las bellas damas!, grita una mujer emergida de la semioscuridad con un canasto de flores. ¿Qué dice señora? ¿Que nos regala unas flores?, contesta Demóstenes Cuarto en broma. ¡No, no señor! Que obsequie unas flores a las damas hermosas que lo acompañan esta noche. Al no poder zafarse de la vendedora les hace una seña a ellas. Ambas, sin pensarlo un segundo, hurgan entre los ramos. Eligen sendas rosas rojas. ¡Son seis dólares, señor! A tres cada una, precisa la vendedora, tremendamente hábil para las cuentas. A sacar la cartera, a pagar, y calladito, como si no pasara nada, sin protestar, con estilo, que vean todos: el nativo de la tierra del mezcal y el tequila no se raja. Muchas gracias, señor. A usted, que tenga feliz noche ¡y mejores ventas! Gracias, Méshico, dicen en coro Etipía y Nigia.

-¡Salud!

-¡Salud!

-Mira, no regresan tus amigos.

-Le digo que no son mis amigos, señor. Hace un ratico conocí al tipo ese. Cuando nos encontró conversábamos apenas. Yo venía caminando por la calle. Entonces me lo topé. Y el tipo me sacó conversación. Y bueno, me cayó bien. Me preguntó qué hacía. Si podíamos ir a tomar una cerveza. Y, bueno, señor, quiero que sepa: es la primera vez que vengo aquí. ¡A esta hora! La necesidad obliga a uno. ¡La verdad! Y ya se imaginará a qué viene uno. Me da pena con usted que se ve tan serio. No sé lo que piense de nosotros, pero lo que usted observa, ahora mismo, es nuestra realidad.

-No se preocupe por lo que piense. Es más, ni pienso en nada.

-¡Es mejor así! Porque a mí me da vergüenza ver tanta degradación humana. Señor, esto es un gigantesco prostíbulo. Eso es la isla. La capital del país principalmente.

-¡No puedo creerlo! ¡No es posible! ¡Virgen María Purísima! ¡Vírgenes de todo el mundo vengan a salvar al pueblo de esta isla!

-Pues sí es posible, créalo. Mire usted a su alrededor: todo mundo prostituyéndose a cambio de unos dólares. Y, bueno, necesitamos sobrevivir. Mire aquella pareja de negros. Viven por mi casa. Esposa y esposo, pa que usted sepa. Salen de caza por las noches. O esa otra pareja. Vea nomá. Hermano y hermana. En lo mismo andan. En busca de un turista, hombre o mujer. Pa ir a una casa, pa hacéle el amor. ¡Pa ganá unos dólares! ¡Que convertidos en pesos isleños rinden mucho!

-¿Así los tiene el Estado, el gobierno, y el que denominan comandante supremo? ¿No pueden hacer nada para cambiar esta triste, lamentable, penosa situación?

-Señor, por dió, no podemo hacé nada. Si alzamo el brazo y la vos nos aplastan. Y bueno... Mejor dígame usted cómo está allá afuera. Cómo viven lo jóvenes. En qué piensan. En qué sueñan. Dígame: usté ha visto un estratelestre. ¿Es cierto que andan mezclao con los humano?

- Eso dicen mi... Jimagu... ¡mi Guajira Guantanamera!

-¡Salud Méji... lindo y quelido!

-¡Salud! ¡Salud! Pero oye, mucho se sabe allá afuera sobre sus logros en educación, deporte, salud, medicina.

-Es pula plopaganda política.

-Pero sí es una realidad, sin dogma de discusión, que sus paisanos destacan en los Juegos Olímpicos en béisbol, box, salto de longitud.

-Esos son los únicos loglos de la Levolución, señó.

-Pues ya no regresaron estos ciudadanos.

-¡Me imaginaba señó! ¡Ay... ya me estoi maliando! ¡Ya no sé ni lo que digo! ¡No sé dónde tengo la cabeza!

-Te voy a decir algo, jovencita. La chamaca estaba celosa de ti. Y si no me equivoco ha de ser novia de él.

-¡O esposa o amante!

-¡Ya lo dijiste tú!

-Mile nomá... que yo pensé lo mimo.

-Y te voy a decir algo más. El sujeto me dijo que te traía ganas a ti. Quería iniciarte en el comercio del sexo. A lo mejor a eso se dedica: a regentear mujeres, ¿no?

-Lo mimo pensé yo... El tipo se veía intelesao conmigo... Pelo no... Conmigo no iba a conseguílo... Sí lo halía, la veldá, con un etranjelo... Pelo solo pol necesidá... No pol que me guste o me dedique a eto... Polque así como usté me ve, poble, poble, ¡tengo mi olgullo, mi dignidá! Con usté, pol ejemplo, que me guta... muuucho. ¡Aaandeele! ¡Podemo il a donde quiela!

-Gracias... mi... Guajira Guantanamera. Pero... mejor otro día nos vemos. Ahorita estoy muy cansado. Te voy a anotar en esta servilleta mi nombre. Estoy hospedado en el Habanera Libre. Ahí veme mañana, digo, al rato, pues ya es de madrugada, o mañana, si quieres. O háblame por teléfono. De preferencia por la tarde.

-Bueno... chico... Como ya túúú... diigaass. Yooo tee bususcoo. Claalooo quee sííí.

-Oye, y tengo una gran duda.

-A vel, ¿cuál es?

-¿Por qué desean tanto la langosta? ¿Por qué sueñan en comerla?

-Ah, polque ess de lo mááss calaa, supoongo. Y pala plesumil con lo amigo y familiare que uno comió la tan condiciada y lica langota. Ah, y la coocaacoola.

-Mejor ya vámonos, mi Guajiii.

-Sííí, claaloo. Yaa etooii bien maaleeadaa.

Demóstenes Segundo paga la cuenta. A media calle se despiden con un ligero beso en los labios. Ella tal vez continuará buscando su salvador el resto de la noche. Él irá a refugiarse al hotel Habanera Libre, donde también están hospedados sus otros dos hermanos, el fotógrafo y el político ambientalista humanista. Apenas entre en la habitación se quedará dormido, con la ropa puesta, sobre la cama tendida. Repentinamente oye la voz de un hombre a su costado derecho.

-¡Qué pasó chico! ¿Me dejas solo? ¿Ya ves cómo tú eres? ¿Ya me botastes? ¿Y ahora ya hasta cambiaste de chica?

-No le hagas caso, mi amor, sigue caminando, susurra Yésica, agarrándolo fuerte del brazo.

Demóstenes Cuarto descubre de reojo que los sigue un chamaco a cierta distancia.

-No te asustes, chico, es mi primo. Siempre me cuida. Anda conmigo. No pasa nada.

-Chico, si tú ya no me quieres ver, bueno, dame unos diez dólares para tomar un taxi y ya te dejo en paz. Me voy pa mi casa.

-Camina, camina, no le hagas caso. Este guía ilegal está loco. No le des ningún dólar, le aconseja Yésica.

Como Cirineo no da marcha atrás, de su cartera Demóstenes Cuarto toma un billete de cinco dólares para dárselo.

-Es todo lo que me sobra. Tengo otro igual, pero es para el taxi. Se me olvidó el dinero en el hotel, Cirineo.

-No hay problema, chico. Entiendo bien. Yo te puedo acompañar y allá me das más dinero, si ya tú quieres.

-¡Ya coño! ¡Que nos dejes en paz, joder! Explota la jovencita.

Ante los gritos se acerca su primo musculoso en posición defensiva.

-Chica, no te enojes, expresa Cirineo, de anatomía algo escuálida.

-Nos vemos mañana, Cirineo, dice Demóstenes Cuarto terminante. Háblame a mediodía.

La mujer detiene un taxi del estado, de color negro con franjas amarillas. Suben a él. El chamaco adelante y Yésica con Demóstenes Cuarto atrás. Los taxis son coches lujosos, modelos recientes, muy diferentes a los particulares antiguos.

-¿Quieres tú estar con Berenice toda la noche, chico?, pregunta el chamaco. La puedes tener contigo. Es cosa de hablar, de llegar a un acuerdo. Pero antes hay que ir a bailar a una disco, vamos a divertirnos, a disco Papas, por ejemplo, que es una de las mejores discoteques de la ciudad. O a Tropicana. Ya tú sabes, el turista viene a divertirse aquí. Nosotros te podemos pasear a donde tú quieras. Por los mejores lugares. Y yo quiero que tú sepas, que con nostro no te pasa nada. No tengas miedo. Yo soy aquí tu mejor amigo.

Afuera del hotel Demóstenes Cuarto paga al taxista justamente lo que lleva: cinco dólares.

-Chico, ¿ahora dónde te esperamo? Porque nosotro no podemo entrar aquí, dice Yésica Berenice.

-Enfrente, en el restaurante.

-¿Podemo pedir una cocacola, chico?

-Sí, por favor, preciosa, con confianza.

-Porque aquí no venden langosta, ¿verdad tú Yésica?

-No, amorcito. Ven, vamo a esperar al atento señor.

A los pocos minutos retumba una voz gutural dentro del recinto atestado de clientes: Son doce dólare por los refresco y veinte de las entrada... treinta y dos dólare... señol... Sí, cómo no, faltaba más, un momento por favor. Reaparece en la penumbra Og, risueño, junto a un negro con vasos y refrescos también sonriente. ¡Quieres probar mujer negrita! Órale, a desembolsar, y cuidadito y evidencies un gesto de disgusto. Te observan en todo el recinto. A sonreír naturalmente como todos ellos. Todas las miradas impactan con fuego volcánico sobre ti. Perforan el centro de tu abultada cartera.

-¡Salud Méshico!

-¡Salud Tanzia, Uanda, Og!

Las jóvenes sentadas a las mesas contiguas te sonríen, y las de más allá, por esta sencilla razón: el billete verde las deslumbra. No les importan las caricias y besos de sus hombres, suspiran enloquecidamente hacia ti, ¡sabor! Sobre todo aquella mujer, mírala, allá, enfrente, del otro lado de la pista, ¡qué ricura!, postrada en las piernas del hombre de aspecto anglosajón, le aprieta los senos, y con más insistencia ella te mira y te sonríe, ¡qué cosa más linda! y te cierra el ojo y más se mueve temblorosa toda, restregando sus nalgas en el pantalón del hombre como si él fueras tú, y ella en realidad estuviese clavada de nalgas en ti. ¡Moliendo café! Y no puedes evitar el despertar de tu caña de azúcar, cuando la imaginas montada sobre ti, a pesar de no tenerla junto a ti se pone muy tiesa la caña, la ves de reojo, ¡guaguancó!, mientras Arlia te besa el cuello, la oreja, la boca, y te exprime la lengua, y chupa toda la saliva que producen tus glándulas salivales, y Angoa y Udán te dicen ¡ella es una chica seria, chico, estudiante de economía, con principios, sana, limpia, chico! y Niria se aferra por abajo de la mesa a tu tronco, duro tronco, como si ella estuviese en un naufragio inexorable con su vida, y ese grueso tronco de árbol milenario de los sagrados Reinos del Tule fuese a salvarla, se aferra a ti con desesperación, te absorbe, boca con boca, todo el café que llevas dentro del organismo de una raza ancestral brutalmente estremecido, y aquella mujer de pantalón rojo y blusa negra no te deja de mirar... *cuando la tarde languidece renace la sombra...* y ahora se abre la blusa y te deja ver sus toronjotas mecidas por el güiro y las congas y los tambores... *en la que tú los cafetales vuelven a sentir...* cuando te invitan a brindar, estrechando las copas, Zaia y Mozambie y Níer, por ¡la cuna de la raza humana!, la mujer baila y baila ahora abrazada a una mujer, allá en el rincón, en la penumbra... *esta triste canción de amor de la vieja molienda...* y como si tu mirada la excitara más ella abraza más fuerte a la mujer, enfrente del hombre con la camisa desabrochada y la cabellera rubia despeinada, viendo con los ojos medio cerrados a las doncellas girar, girar, girar... *en el letargo de la noche parece decir...* saboreándose él una copa... *me pasé la noche...* ¡qué rico chico!... *moliendo café...* muy arrepegaditas ellas, entrecruzando piernas y pies, agarrándose las nalgas mutuamente, girando en pequeños círculos... *oye negra linda...* con las mejillas volteando hacia a ti... *yo quiero gozar...* y ya son cuatro ojos y dos bocas buscando tus cejas y pestañas... *por la mañanita... y por la madrugada...* ya andas en la pista con Maurinia en los brazos... *pero qué rico está...* agarras unos pechos duros… unas nalgas macizas... *pero qué rico está...* dan de vueltas cerca de Costa de Afil y de Segal que no acaban de darse un beso, recargados a la pared de espejos, ¡bambino, belo, compaño, amore mio!, escuchas a tus espaldas, y ves a un señor güero, de camisa naranja fosforescente, de unos cincuenta años de edad, colgado al cuello de un negrito veinteañero espigado, bailando los dos, alegres, sin ninguna pena, agarrados por la cintura, bajo los haces de luz multicolores... *yo quiero que llueva café... oye mira negra linda buena...* y no te das cuenta cuándo Congo se baja de la pista y ya tienes junto a ti a Kenia, porque ella no quiere estar sola y desea seguir bailando, y ahora tienes a las dos mujeres, Ruada y Ghaa, ganoso, ganancioso, una en cada brazo... *pero que rico está por la mañanita por la madrugada yo quiero gozar...* y te empujan, suavemente, entre caderazo y caderazo en medio de los bailadores, al rincón de la pista, ahí palpas sus nalgas, senos, besas sus labios, orejas, pelo, y sólo detienen ese ataque salvaje desenfrenado cuando disminuyen el volumen de la música porque en ese momento va a comenzar la variedad... ¡Señoras y señores! ¡Turistas que nos visitan de todo el mundo! ¡Bienvenidos sean al paraíso del placer! Bajan de la pista para sentarse a la mesa, donde está Ipto preparando excitadamente inspirado las otras cubas y ya van cinco, diez, veinte tragos ¡hasta el fondo!, y chinguen su… si dejan algo… y diez canciones que toman y entonan con la cantante... y va por Méji, ¡y por Cu! ¡África! ¡Amor eterno! ¡e inoolviidaablee! y estás en la pista haciéndole dúo a la cantante, abrazado a ella... *Yo te ayudo a olvidar el pasado...* te sopla la cantante por un oído y Malaui por el otro... ¡*no te aferres*! (a ser un político) ¡*ya no te aferres*! (ecologista) ¡*a un imposible*! (la diputación federal)... Abrazas fuertemente a las dos mujeres. ¡Viva Méjico cabrones! ¡Y Cuba! ¡Y el Mar Caribe!! Y viene otra cuba y otra canción... y... *Yo se bien que estoy afuera... pero el día en que yo me muera... se que tendrás que llorar... ¡llorar y llorar! Dirás que no me quisiste... pero vas a estar muy triste... y así te vas a quedar...* ¡Salud Méshico! ¡Salud África! *Con dinero y sin dinero... hago siempre lo que quiero... y mi palabra es la ley...* ¡Y arriba Méjico! ¡Y Cuba! ¡Y África! *Un arriero en el camino... me enseñó que mi destino... era rodar y rodar...* Así es mi Guiea Ecuatoial... *Después me dijo un arriero... que no hay que llegar primero... pero hay que saber llegar*... Claro que sí mi Zimbae... *Con dinero y sin dinero*... con la botella vacía en una mano... *hago siempre lo que quiero*... Túez se pone de pie al lado de Madagas y Maí... *y mi palabra es la ley*... se despiden de la cantante y tú también, pero tú con un beso en la boca... *no tengo trono ni reina*... empiezan a avanzar hacia la puerta de salida... *ni nadie que me comprenda*... abriéndose camino entre las mesas, las mujeres por delante con Marrues... cuando llegan a las escaleras, en la puerta se te aparece la mujer del pantalón rojo... ¡*pero sigo siendo el rey*!, te abraza y dice a la oreja, ¿ya te vas chico?, sííííí, contestas y miras sus ojos cafés claros y compruebas su vivaz hermosura, ¿y regresas chico?, te pregunta ella al tiempo que mete su lengua en tu oreja y te lame el cachete y el cuello, ¡noo, hooy yaa noo pueedoo!, ¿y mañana podrías venir papito?, sus labios tibios de terciopelo lustran tu boca, tu barba, tu cuello, tu oreja, ¿aaa quéé hooraa eestáás túú?, me encuentras a las diez de la noche, mi amor, te sopla al ojo cuando oyes un grito del otro lado de la puerta, ¡Vaamoonoo Mééjii! Bajas las escaleras, recargado a la pared. En la calle te acacha Burina Faso. La cojes por la cintura. Algunas personas barren y recogen papeles y botes por toda la calle. Hace algo de frío. Para olvidarte de él entonas a todo pulmón: ¡*Mééjiicoo liiindoo yyy queeriiiiidoo*!, y al instante se une en coro todo el continente africano en un abrazo ondulante... *siii muuero leejooo dee tiii... queee diigaan quee eeetooyy dooormiiidoo yyy quee mee traaiigaan aaquíí*... ¡Méji!, ¡Méji!, ¡Méji!, ya no resuena ese grito a su paso por la calle, como en los primeros días de su llegada a la isla. Quizás las jóvenes, los jóvenes estuviesen en algún lugar al acecho de algún turista despistado. De un turista recién desempacado en realidad. Seguramente no se acercan a él porque ya les es familiar. Sabrán que lleva algunas semanas en la ciudad y ya entiende a la perfección el estilo de ser de los lugareños. Los policías continúan en sus puestos esquineros. Estatuas, no de bronce ni de mármol ni de yeso, sino de carne y hueso, erigidas al sistema comunista en decadencia. Últimos guerrilleros oficialistas de la utopía del siglo XX. En la avenida amplia Demóstenes Segundo se detiene cerca de un cine: Radio Centro. Aguarda a que el semáforo encienda el verde para cruzar. El hotel Habanera Libre queda del otro lado. Algo le mueve a dirigir los pasos hacia un parque con deslumbrante vegetación. Saca la videocámara. Enfoca a la gente educadamente formada. Avanza con el aparato sobre la mochila. Procura no llamar tanto la atención al filmar. Es una interminable fila a lo largo del pasillo. Las personas lo observan expectantes. Simula buscar a alguien. Estira el cuello, muy discreto. Junto a tres mujeres sus piernas se aferran al piso. Está escena ya la ha vivido, piensa, recuerda. Sí, en un sueño del otro día, es exactamente igual, son las tres mujeres bellas del sueño más agradable experimentado en la isla. Una jovencita, de blusa verde satinada, lo mira fijamente, con sus ojos aceitunados, igual de seductores que en la escena onírica.

-¿Esta cola es para entrar, señorita?, le pregunta Demóstenes Segundo.

-Sí, señor, dice ella.

-En dos horas... o tres... ya estaremos adentro... comiendo helado, expresa otra jovencita, de pantalón y blusa negros.

¡Así sucedió exactamente en el sueño! Esperamos tres horas para probar el famoso helado del lugar, evoca muy sorprendido Demóstenes Segundo al apagar la videocámara.

-¿Me puedo quedar aquí con ustedes?

-Claro que sí, señor. Si hay algún problema, algunas protestas de la gente, puedo decir que usted es mi novio y acaba de llegar a verme.

-Me parece bien. Gracias. ¿Y qué tal les va?

-Pues, ya sabrá, en día domingo, de paseo. ¿Usted es méji verdad?

-Sí. Oigan, disculpen la pregunta, señoritas, ¿ustedes estudian o trabajan?

-Ummm, voy a explicarle. Yo estudio para profesora... Y por cierto hoy es mi último día de vacaciones. Mañana regreso al trabajo y al estudio. Ella es Aída, ecónoma y ella Imelda, química. Estudiante de química. Y yo soy Zaza. ¿Y usted?

-Bueno... me llamo Demóstenes Segundo. Deee-móóósstee-neess. Y digamos que... soy periodista. Ando de vacaciones. Vine con dos hermanos. Uno fotógrafo, Demóstenes Tercero, y el otro político ecologista, Demóstenes Cuarto. Cada uno anda en su aventura de conocer la isla sin un plan turístico. A veces, por las noches, nos encontramos en el vestíbulo del hotel para platicar sobre nuestras vivencias.

-A ver si nos los presenta algún día.

-Sí, por supuesto.

-¿Y le gusta este paraíso?

-Por supuesto. Oiga, ¿no le molesta si le tomo una foto?

-No. ¿Cómo quiere que salga? ¿Cómo me pongo?

-No haga nada. Usted nomás sonría a la cámara. Eso es. Véame. Así. Listo.

-¡Va a salir preciosa! Gracias.

-A usted... ¿Y en serio se va a quedar con nosotras para entrar, señor?

-¡Desde luego!

-Pues es el primer turista que yo sepa que hace cola para entrar a Coppelia. ¡Es un gran mérito! ¡Lo felicito!

-¿Tanto así?

-Claro, señor. Si usted puede ir ahora mismo a la tienda de enfrente y en menos de cinco minutos comprárselo. Tan simple como eso. Lo que no puede hacer un nativo, señor.

-¿Pero por qué no pueden ustedes? ¿No los dejan entrar a las tiendas?

-Sí. Pero dígame usted, con qué dinero lo vamos a comprar, si todo lo venden en dólares. El dólar americano imperialista manda en todos los centros comerciales del país desde 1993 que entró a apoderarse de esta isla. El dólar equivale a veinte pesos nativos. Y la mayoría de la gente, quiero que usted sepa, gana cuatrocientos pesos al mes. Ahora dígame si algún habitante de este país se puede gastar el dinero en antojos que le cuestan en dólares. Un helado a cinco dólares, es decir, a cien pesos nativos. El salario de una semana de trabajo.

-¿Y ustedes, por ejemplo, en qué gastan su dinero?

-En lo más necesario. Como es la comida. Ahí se va todo,

ya sabrá. Por ejemplo, yo siempre me ahorro los pasajes de la guagua. ¡Siempre viajo de botella!

-¡De aventón, de rái, como dicen en su país!, interviene Imelda.

-Porque además, se lo digo yo, confiesa Aída, viajar en guagua o en el camello, no es de lo más agradable para una mujer. Siempre están llenas, ¡madre mía! Va uno apretado como cigarro. Además los hombres no tienen ningún respeto para uno. Se le pegan para restregarse por delante o por atrás. La van agarrando en el camino. A veces hasta le roban a uno el bolso o lo que lleve de cosas. Y huele aquello... ¡Dios mío!... a veces dan ganas de vomitar. Y con tanto calor en el carro. ¡Mi madre! Prefiero mejor pedir botella o rái, como dicen ustedes. Ojalá algún día se suba a un camello para comprobar que no es mentira.

-Y a veces en lo más apetecible para todo habitante de este país, que es uno de los antojos más caros de llevarse a la boca, la langosta, revela Zaza.

-¿Por qué se queda tan pensativo, señor? ¿Le sorprende esto que le contamos?

Ya ni supiste a qué hora llegaron a la casa del Chino. Solamente recuerdas una densa atmósfera nubosa arropar sus cuerpos al desplazarse de puntitas, calladitos, entre leves cabezazos de unos con otros por las paredes. Se acostaron en sendos cuartos, Og con Etipía y Niria contigo. Esta cayó dormida apenas viera el colchón y ya te ibas a quedar con las ganas de probar carne africana de no ser por Etipía, la novia de Og, quien, parada en la puerta, te enseñaba su dentadura de marfil abrillantada y su piel enterita, llamándote sensualmente mi rey. Entonces te dejaste seducir por los ronroneos de esa pantera con ojos llameantes. Atractiva y atlética especie biológica de cuatro patas te llevó al comedor lentamente. Ahí te mostró su liso pelambre al subirse a la mesa, abriéndose de patas, y en segundos fuiste fascinado por una tupida selva oscura, tan cuidadosamente explorada con tus linaloes y ahuehuetes, y a los pocos minutos emergió el Paricutín en toda su dimensión. Cubierto por un manto grisáceo penetró una maleza con infinidad de flores exquisitas, árboles exóticos, plantas carnívoras. En medio del tupido follaje se oía el cabalgar parsimonioso entre las dunas del desierto del Sahara, el chasquido de las aguas del río Nilo mojar al Paricutín, convertidas en una pertinaz llovizna por todo tu cuerpo hundido lentamente en ciertas arenas movedizas, a escasos metros de los leves ronquidos de un gorila, domabas así a su pantera con uno y otro latigazo dado arriba, abajo, por delante, por atrás, pantera echada sobre la mesa imploraba con sus ojos de lava dando volteretas que quería apretar con todas sus fuerzas otra vez dentro de ella el Espinazo del Filo Mayor, ser remontada por la Sierra Madre del Sur, bañada con las aguas caudalosas del río Papagayo mientras ambos cuerpos sudorosos rodaban trémulos intentando cada cual evaporar las fuerzas anímicas del otro, tenso cada músculo por los genes ancestrales de las respectivas razas misteriosas, dentro de un veloz torbellino de imágenes del presente, pasado, futuro de la especie humana viajando hacia el infinito: la imaginación acariciaba las estrellas de la galaxia entera, abrillantándolas con más intensidad pensamiento a pensamiento.

-¿Quiere rentar una casa, señor?, le pregunta un muchacho plantado a su lado izquierdo. ¡En veinte dólares! Aquí cerca. Aquí mismo en la vecindad. Bueno, pa que se anime usted, se la dejo en quince dólares.

Demóstenes Segundo, luego de quedar durante unos instantes como hipnotizado, recuperada la conciencia plenamente, le agradece el ofrecimiento.

-Miren, chicas. Un amigo turista, expresa un individuo de lentes Ray Ban, camisa Lacoste marrón, pantalón de pana color beige y zapatos de tela blancos. Las aludidas muestran sus semblantes adustos.

-¿Qué pasa con esas caras, chicas? Manifiesta el hombre molesto. ¡Vamo a tomar una cerveza! ¡Pa conversar un ratico y alegrar el corazón! ¡Nuestro amigo turista invita!

-Claro, dice este a regañadientes, también molesto. Contagiado por la terna de rostros encrespados, a una mueca de dar pelea.

Andando por la avenida encuentran una cafetería frente a una plazoleta. Se acomodan en torno a una mesa colocada en plena acera. Unos señores brindan adentro sin percatarse de sus movimientos corporales. El hombre ordena cuatro cervezas.

-Aquí no molesta la policía, expresa. Estate tranquilo. Bueno, salud por Méji.

-Y ¡por Cu!

La mujer que le recuerda a su ex novia chilena permanece mustia. Motivo de su momentáneo ensimismamiento de hace poco. Además de otras causas aún inexplicables que le provocan a veces el alejamiento de la realidad presente. Como si de pronto estuviera en dos sitios diferentes al mismo tiempo. Ella frunce el seño furiosa. Mantiene la mirada fija en la calle. Da la impresión de hallarse a disgusto con ellos. "Qué será... qué será... de mi vida qué será..."

-Aquí a toda hora se escucha música de su país, dice el hombre de lentes, rostro güero y pelo rubio. Ustedes sí tienen cantantes de sobra en todos los géneros musicales.

-Óigame, señor, ¿y usted qué profesión tiene? Que se ve tan serio, pregunta la negrita.

-¡Estudié periodismo!

-¿O sea que usted no viene como turista?, interroga el hombre.

-Sí. Pero ya se imaginarán, por mi formación académica y vocación me intereso en todo lo que pasa en la sociedad. No sólo de mi país sino de cuanta nación pueda conocer. Por ejemplo, me pregunto cómo es el modo de vida de ustedes, cuáles son sus problemas.

-¿Y cómo usted encuentra a nuestra patria heroica?, pregunta la negrita.

-Sobre la realidad de este excepcional país aún no puedo emitir un juicio. Acabo de llegar a esta isla hace un rato. ¡Mejor platíquenme ustedes!

-¿Cómo qué quiere usted saber?, pregunta el hombre.

-Si están a gusto como viven.

-Bueno, la verdad, yo sí estoy muy contento, dice el hombre acomodándose los lentes marca Ray Van. A mí no me falta nada. Tengo todo. Casa, comida, bebida, dinero y mujeres.

¡Muchas mujeres! A ver: brindemos por la vida santa.

"Ya lo pasado... pasado... no me interesa..."

-Pues yo no, contradice la negrita.

-¡Ni yo tampoco!, habla por fin la otra mujer, morena clara, de pelo negro corto.

-¿Por qué jóvenes?, indaga el extranjero.

-¿¡Por qué, señor!? ¿Se le hacen pocas razones éstas?, expresa la negrita, estirando el brazo hacia la calle. Sólo mire usted. ¡Tanta degradación! ¡Y a todas horas!

El hombre y la otra mujer se terminan la cerveza de un trago.

-Este... este... si nos permiten... dice el hombre. Voy a conversar un momentico con esta mujer. ¡Ándale! Vamo ya. ¡Párate! Pues qué te pasa a ti, chica.

-Permiso... permiso, susurra la muchacha.

Se alejan vociferando por la calle, hacia abajo, sin volverse en ningún momento.

-Estaba molesta su amiga.

-No, no, señor. No es mi amiga. Es amiga de mi amigo. Bueno... tampoco es mi amigo el chico ese.

-¿Cómo está eso?

-Bueno... es un poco difícil de explicar. Ya usted se irá dando cuenta. A medida que conozca un poco más la ciudad. Aquí todo es muy complicado, señor. Las relaciones entre las personas, digo. Ya usted verá.

-A propósito. Decía que no estaba complacida con el modo de vida que llevan. ¿A qué se debe?

-Ah, chico, es porque no se puede confiar en nadie. Ya alguien me había dicho el otro día. ¡Desconfía de todos, mujer! Usted mismo debe desconfiar hasta de mí. Y tenga mucho cuidado con los nativos de aquí, señor. La misma necesidad nos obliga a ser así. ¡La verdad! No tenemos otra alternativa. Necesitamos comer, vestir, pagar nuestros estudios. ¿Se da usted cuenta? Y por favor: ¡nunca se crea de los cuentos de nadie de esta isla! Le doy este consejo como una amiga.

-Ya me percaté de su tendencia a fabular, a inventar, concebir reinos de fantasía en el aire. Creo que son el pueblo más cuentero del mundo. La mentira, la simulación, como en mi país, hecha institución persécula seculorum.

-¡Qué bonito habla usted! Así quisiera tener un novio y un esposo. Para que me arrulle con su voz, sus palabras, sus conocimientos.

-Y usted a qué se dedica señorita. ¿Trabaja o estudia o qué hace?

-Estudio. ¡Quiero ser artista!

-¡Muy interesante! ¿Y artista... como... de qué?

-Quiero ser cantante. Algunos me han dicho que canto precioso. Pero yo no me creo tanto elogio. Luego hacen daño, hombre. Cuando uno se los cree, claro. Comienza uno a sentirse lo que no es uno.

-¿Y cuántos años tiene de edad?

-Veintidós años. Y la verdad, no sé qué va a ser de mi vida. Aquí no encuentro espacio para materializar mis sueños. A lo mejor, señor, nomás llego a ser corista, corista de un grupo, de un grupo que va a recorrer la patria entera, para cantar de provincia en provincia, de ciudad en ciudad, La Internacional Socialista. ¿Me entiende? Y yo no quiero, la verdá, desperdiciar mi linda voz haciendo eso. Quiero cantar en programas de televisión de otros países. Actuar en películas extranjeras. ¡Por Dios! Yo quiero algo importante para mí, coño.

-¿Y qué puede hacer? Para satisfacer su…

-¡Nada hombre! ¡No se puede hacer nada! Aquí uno está jodido. Sólo que me casara con un extranjero. Así podría escapar de aquí. Con un méji valiente, por ejemplo.

-Pues sinceramente deseo que encuentre usted a su salvador, jovencita. Y que realice sus metas, satisfaga sus sueños y sea una gran artista. ¿Pero por qué con uno de esa nacionalidad forzosamente? ¡Puede ser con un italiano o un francés!

-¡Calle, señor! Que la mayoría de esos güeros son puro marica. Nomás vienen a buscar negros. Ustedes tienen buena fama de mujeriegos. Me gustaría probar uno. ¡La verdad! Si tuviera uno a mi mano me lo llevaría a la cama para que sepa como amamos las negras de mucha candela como yo.

-Bueno... ¡Salud! ¡Salud! ¿Cómo dices que te llamas?

-Jimaguayu. ¡Ji-ma-gua-yu!

-Mucho gusto en conocerte.

-Igualmente. ¿Y usted?

-Demóstenes. ¡De-mós-te-nes Se-gun-do!

Trsc, trscfklg, trsc, trscfklg. Unos traqueteos del colchón y de los resortes de la cama hacen reaccionar a Demóstenes Cuarto, sumido en un ensueño delicioso a lado de tres hermosas isleñas, a unas horas de comer helado. Es Niria desnuda. La luz filtrada de la calle sube gradualmente por las paredes del cuarto. Ella se sienta en sus piernas.

-¡Me quedé dolmida chico! La veldá, estaba muy cansada y maleada. No había comido en todo el día, chico. Ya no tenía fuelzas. ¿Tú me entiendes, veldá?

-Sí, sí.

Se agacha para besarlo.

-¿Sí te gusto yo veldá, Méshico?

-Claro que sí, mi Somlia.

A la claridad matutina luce muy distinta. Algo pálida, lagañosa. Con la piel ceniza, seca, dura.

-Yo quielo que tú entles a mi selva, chico. Ahola mimo.

-Bueno, bueno... Vamos a ver.

-¡Eplólame! Méshico. ¡Conquita mi elva vilgen!

-Claro, mi Serra Liona. A la orden. Voy a ponerme el casco protector de la lluvia especial... Eso es... A ver...

Ella, riéndose, gozosa, se devora al explorador con todo y casco, mochila, cantimplora y botas. ¡Enterito! Varios minutos con sabor a eternos dura la expedición hormonal. Los dos yacen en un oasis de sudor.

-Ahola tengo que ilme, chico, dice Niria mientras se viste. Tengo que il a la ecuela. Ya abe, etudio economía. En quinto ano. ¿Tiene tú dinelo que me dé? Pa mi camión...

-No me lo tomes a mal, mi Cao Erde, pero no tengo ningún dólar. Pagué todo en la disco. Las entradas, la botella de ron, las rosas, las propinas para la vendedora de las flores, los meseros, la cantante, el disjey, los porteros y los barrenderos de la calle. Me quedé sin ningún dólar. Aquí está mi cartera. Vela. ¡Está vacía!

-Ya, ya no me diga nada. Etá bien, chico. ¿No vamo a vel otlo día? ¡Tú y yo! Pa que etemo como aholita. Y vuelva a eplolalme.

-Claro que sí, Bouana. Te busco a través de Gaón.

-De acueldo. Pa que tú vaya a la mi caa, chico. Y onoca a mi máma y a mi pápa... A toa mi familia. ¡A toa! Te vamo a plepalal una bonita ena, ¿eh, chico? Pa que de una ve te quede tú a vivil aquí, en la isla de los colazones felices. ¡Conmigo, chico!

-Ah... Te lo agradezco mucho, pero no se molesten con la cena.

-¡La vamo a hael con caliño! ¡Una lica langota!

-Bueno, así quedamos entonces. ¡Se te hace tarde mi Eriea! Luego platico con Og. Ya vete a clases, estudia mucho. Prepárate, termina tu carrera. Sé una mujer de bien para la sociedad.

Van a la otra habitación. Og y su novia salvaje e insaciable han desaparecido. Demóstenes Cuarto acompaña a la jovencita a la puerta de salida de la casa. Le da un beso de despedida en la mejilla derecha. Luego se viste a toda prisa, saca su mochila de debajo de la cama y sale en busca del dueño de la casa. Vive en el departamento contiguo. Con él regresa a corroborar que todo esté en su lugar: mesa, refrigerador, cuadros, estatuillas; ningún condón chorreando por el piso, ni restos de frijoles amasados con bolillo, cerveza y ron.

-Ya veo todo en orden. Pues cuando tú gustes. Aquí estamos a tus órdenes. Ya sabes dónde encontrarme. Trae a todas las chicas que quieras.

-Gracias. Ahora requiero un taxi.

-Sí, mira te voy a indicar. Vamos.

Asoman los cuerpos a la calle. Empieza el barullo del amanecer. La temperatura ambiental se incrementa minuto a minuto.

-Ve hasta allá enfrente, donde se ve aquel edificio verde. Ahí doblas a la derecha y luego, en la primera esquina viras a la izquierda y por ahí vas a encontrar un parque. Se llama Güayasamín. Ahí tú pregunta por los taxis particulares.

-Muy bien. Te agradezco tus atenciones.

-No tienes porqué. Ya tú sabes, estamos aquí para lo que se

te ofrezca. Si quieres, puedes traer otra chica. Cuando tú quieras. Las que quieras. Mira, te doy mi tarjeta para que me hables por teléfono cuando quieras que te aparte la casa.

-Lo tendré presente. ¡Gracias!

Siguiendo las precisas orientaciones milimétricas halla una avenida amplia. Ahí pregunta a dos jóvenes.

-Disculpen, ¿dónde podría encontrar uno de esos que llaman taxis particulares? Que están en el parque Güayasamín.

-Sí, mire, señor. Camine por aquella calle y luego doble a la derecha. Y por ahí los va usted a ver.

En menos de diez minutos encuentra el parque y una larga fila de coches modelo de los cincuenta y setenta: amarillo plátano, verde tomayate, azul celeste, cian aguamarina, rojo carmesí, negro perlado, blanco niebla, gris diamante, rosa rosa, café terroso.

-¿Taxi señor?, le pregunta un negro.

-¿Cuánto me cobran al hotel Marosa?

-¿Dónde queda eso, hombre?

-Disculpen... pero... no me acuerdo, la verdad.

-¿Ahí está usted hospedado?

-Sí. Recuerdo que está por... ¿cómo le dicen? la Autopista... la Autopista de...

-¡Será la de la Novia del Mediodía zanca!, exclama otro hombre.

-Exactamente, dice Demóstenes Cuarto.

-¡Yo sé dónde queda eso!

-Bueno, chico, si tú es que sabes, ¿cuánto le cobras por llevarlo?

-¡Quince dólares!

-¿Tanto? Si me cobraron diez por traerme ayer, expresa Demóstenes Cuarto.

-¡Si eso está hasta el fin del mundo, hombre! Pero, bueno, ni usted ni yo, que sean doce dólares.

En las calles intensamente soleadas mucha gente pide botella, constata otra vez Demóstenes Cuarto. Jovencitas con batas de enfermera. Otras de faldas amarillas con blusa blanca, mochilas, cuadernos y libros en los brazos. Mujeres de caras bonitas, piernas atléticas, cuerpos armónicos con vestidos floreados.

-¿Le gustan las nativas de este país, verdad señor?, le dice el hombre que va al lado del chofer. Si quiere yo le puedo presentar a unas amigas hermosas como esas que usted ha visto ahí paradas. ¡Soy Cirineo! Y bienvenido a la Isla de los Amores Instantáneos.

-Gracias. Me llamo Demóstenes.

-¿Es la primera vez que viene Demo...?

-¡De-mós-te-nes! Sí, sí. Es mi primera vez en la isla.

-Entonces tendrá usted que conocer todo. Y usted ha encontrado a la persona indicada para pasearlo. Nadie conoce mejor esta ciudad puerto que yo. Lo puedo llevar a donde usted guste. Restaurantes, bares, discotecas, playas. Incluida la más famosa, Varadero, la que siempre visitan los extranjeros. Contamos con un amplio repertorio. Mejor que el turístico. Y por supuesto: siempre lo mejor y con las mujeres más hermosas de la isla y del mundo. Por cierto, aquí comerá la mejor langosta de todos los mares y océanos de los cinco continentes. ¿Usted dígame? ¿Qué hacemo?

-Por lo pronto quiero llegar al hotel.

-¡Ya vamo en camino! No se desespere, hombre. ¿Qué, tuvo su primera noche de fiesta?

-Por eso me verá un poco desvelado.

-¿Y cómo le fue?

-Excelentemente. Una noche desenfrenada. Por primera vez penetré los misteriosos y auténticos recovecos corporales de la raza humana más antigua sobre la Tierra.

-Eso es, hay que alegrarse. A eso vienen los turistas: a divertirse. Y más ustedes, los del país de las dos pirámides.

-¡La patrulla, zanca! ¡La patrulla!, grita el chofer.

-¡Síguete, síguete! ¡No te detengas! ¡Dale! ¡Dale!

-¿Puede haber problemas si nos paran?

-¡Sí, hombre! Esto que hacemo es ilegal. Pero lo hacemo por necesidad, para poder mantener a nuestra familias. Si nos detiene... usted no diga nada... Usted tranquilo... sólo diga que somo sus amigos y que... bueno... que lo llevamo al hotel... por amistad... sin cobrarle un solo dólar.

-¡No me vayan a detener a mí también! Yo vine a pasear, a descansar. No a meterme en problemas.

-No, no. A usted no lo van a detener. No se preocupe.

-¡Me vayan a acusar de ser su cómplice!

-No, no, señor, no se alarme.

-No comparto el criterio de hacer cosas ilegales. Les recomiendo no vulnerar la ley, jóvenes. Sean respetuosos del estado de derecho.

-Sí, sí señor.

-Se ha parao allá atrá, dice el chofer suspirando. Nos salvamo, creo yo. Ya le perdí de vista, zanca.

-Aquí en el país, señor, la policía es muy severa con todo aquel que viola las leyes.

-¡Ya veo que los tienen muy atemorizados!

-¡Qué si no, hombre!

-Y ustedes violándolas cada día. ¡No puede ser! ¿No les enseñan principios y valores en sus casas y escuelas?

-Claro que sí. Pero así nos tienen en este país. Nos obligan a faltar a ellos.

Cuando se acercan al hotel expresa Cirineo:

-Como usted sabrá, nosotro no podemo entrar. Y bueno, usted disculpe, pero lo vamo a dejar por aquí. Como usted ve, a uno cien metros.

-Uta. Está bien. ¿Tienen cambio de un billete de cien dólares?

-¡Coño! ¡Nos hubiera dicho antes! Que no tenemo ni un peso isleño, señor, manifiesta Cirineo.

-Vamos al hotel a cambiarlo. ¡Acompáñeme!

-Oiga, señor, pero no me vaya a pagar delante de nadie, ¿eh? Porque me van a fichar.

En la entrada el custodio los saluda cortésmente. Les da la bienvenida con una reverencia. Se dirigen al mostrador de recepción.

-Señorita... ¡buenos días!

-Qué tal señor, ¿cómo amaneció hoy?

-Bien, muy amable. Oiga, ¿me puede cambiar este billete?

-¡Con mucho gusto! ¿En billetes de diez está bien?

-Perfecto. ¡Muchas gracias!

-De nada. Ta luego.

Se apartan hacia los sillones del lobby.

-Ahora cambie un billete de diez en la cafetería, le sugiere Cirineo, quedito. Vamo señor. Si quiere me puede invitar una rica cocacola para que se lo cambien sin problema. Pero no me vaya a dar el dinero todavía. Yo le digo en qué momento. Cuando nadie nos vea.

Mientras Cirineo se toma el refresco, Demóstenes Cuarto sube a la habitación. Enseguida baja a pagar la cuenta y del vuelto le da doce dólares a Cirineo.

-Está pagado el servicio. ¡Muchas gracias!

-Está bueno, señor.

Demóstenes Cuarto se dirige al restaurante. Desde hace un rato siente hambre y mucha sed. Confía en ser atendido no por jovencitas burócratas, flojas, rebeldes, irrespetuosas con los turistas. Si éste es un ídolo para los ciudadanos de esta fantástica isla, según el mentado Og. Más debe serlo para las prestadoras de servicios turísticos. Es su santo trabajo. A ver qué hora es. Allá está el reloj arriba en la pared. Las diez de la mañana.

-Oye, entonce con la chica cómo le hacemo. Quieres tú que venga más tarde por ti. Para que te lleve con ella. ¡Te va a gustar! La verdá. Es una amiga mía. Como esas mujeres atractivas que había en la calle.

-No, no. ¿Sabes qué? Mejor háblame por la tarde al hotel Caprichoso o al hotel Habanera Libre.

-¿Qué número de habitación tienes tú, chico?

-Aún no sé. Apenas me voy a cambiar. Pregunta por mi nombre. Demóstenes.

-Demo... Demoo... qué.... ¿A qué hora te veo ahí mejor?

-No, no. ¡Háblame antes! Como a las seis de la tarde.

-A qué hora tú te vas de aquí. ¡Puedo venir por ti! ¡Con mi taxi particular, hombre!

-No, no te molestes. Van a venir por mí.

-¿A que hora van a venir por ti, chico?

-Después de mediodía.

-Bueno, está bien. Te llamo a las seis de la tarde en punto al Caprichoso y al Habanera Libre. Voy a preguntar por el méji...

-¡De-mós-te-nes!

Dos meseras lo atienden con el seño fruncido.

-Es usted el último huésped que baja a desayunar, señor, le dice una algo molesta.

-Procure venir ¡un poquitico antes!, señor, atiza el sutil reclamo la otra. No queremos salir tarde por su culpa.

Le acercan un plato plano con huevos y jamón, un recipiente con frijoles, otro con arroz y papas, un vaso de cristal con jugo de naranja, una taza de porcelana pintada de peces con café caliente aromático adentro, un vaso de cristal con agua. Llegó a imaginar que le traerían una suculenta langosta. Tanto ha oído mencionarla en labios de las lugareñas que ya se le antojó mucho. Ni registra los discretos pasos del tiempo contando los desplazamientos de los pececitos multicolores dentro de una cristalera a su lado derecho. A través de la pared transparente lo miran mover pausadamente la boca entre bocados, tragos, tragos, bocados deliciosos. Nunca dejan de moverse los peces. Ni para dormir descansan. Se está mareando de sólo seguir sus trayectorias imparables en zigzag, curvas, círculos, espirales. Demóstenes Cuarto agradece a las jovencitas el eficiente servicio gastronómico. Sube a su cuarto. Entra al baño a ducharse. Aún lo perturban algunos mareos cuando se acuesta sobre la cama boca arriba. Y no precisamente por el deambular de pequeños cuerpos escamosos en la pecera, sino a causa de los efectos etílicos en su sangre tal vez. Ya no quiere salir del hotel. ¡No resiste tantas tentaciones a cada minuto! ¡Tantas mujeres dispuestas a transportarlo al paraíso del placer a cada esquina! Respira profundamente. Descansa un buen rato en esta placidez absoluta. ¿Desilusiona la degradación social? ¿La situación de las jineteras? ¿Todas las mujeres de la isla son así? ¿O la mayoría? ¿Dónde están las bondades del sistema comunista? ¿No les había dejado el Papa Juan Pablo II el Espíritu Santo en su visita a la isla para sensibilizar a la élite materialista en el poder? ¿Qué pasa con los derechos humanos en este país? ¿Violados constantemente? ¿Lo que criticaron los revolucionarios: por la causa que combatieron y murieron miles de personas... ahora lo hacen con absoluta impunidad? ¿Decepcionado por el gobierno y el sistema económico social de este país? ¿Todo lo predicado afuera sobre los mentados logros en medicina, salud, educación, deporte es una vil mentira? Sus ojos lo registran en las calles, la gente lo confiesa, la mayoría, sobre todo jóvenes, anhelan abandonar el barco para pasarse a otro, aunque no precisamente un crucero transatlántico, se conformarían con una pequeña balsa, donde puedan mejorar sus condiciones de vida, y crecer con genuinas potencialidades de desenvolvimiento en la sociedad del hombre moderno. Viven con la titilante esperanza de algún día ser libres. Desean soñar. Soñar sus vidas. Crearse un futuro. Luchar por él. Conquistarlo con el sudor de su trabajo. El sistema comunista les mata, les asfixia, les ahoga sus ilusiones. No pueden pensar en metas, en objetivos. Ni a corto ni a largo plazos. Viven al día. Y al día son arrastrados por un río utópico sin destino alguno, cuyas aguas revueltas hacen funcionar los molinos de la burocracia deshumanizadora. ¿El único bastión socialista comunista de América Latina para vergüenza del mundo? ¿Del género humano? ¿Realmente vive secuestrado el pueblo de este país? ¿Es el rehén de un puñado de ilusos materialistas utópicos? Demóstenes Primero se asoma a la ventana de la habitación: la tarde lo saluda con ojos nublados a punto de lagrimear. A lado izquierdo sobresale el edificio más alto de la zona con el letrero: Habanera Libre. El otro día que pasara enfrente del hotel vio unas librerías. Será interesante asomarse por sus anaqueles para conocer las novedades editoriales y descubrir a qué autores nativos y extranjeros promocionan, piensa. Prepara las cámaras fotográfica y de video. Las guarda en la mochila negra. Baja por el elevador. Entrega la llave en recepción. Mujeres y hombres con vestimenta deportiva van y vienen de un lado a otro del vestíbulo. Unos pocos, con ropa formal, están quietos, de pie, junto a sus maletas. Sale del hotel. Algo lo jala por la calle con una fuerza que doblega su voluntad.

-¡Taxi señor!, le dice alguien.

-No, gracias, muy amable, responde amablemente.

Allá abajo, en la esquina, está Gladiola, como siempre, cual soldado, parada en la entrada de un restaurante, a donde ha ido a cenar algunas veces. Ella se la pasa de pie mañana, tarde y noche. Un día sí, un día no. Todo el año. Como fiel servidora del Estado y de la Revolución. Entra muy entusiasmado en el restaurante. Pide la cuenta a la mesera. ¡Son diez dólares, señor! ¿Cómo? ¿Por qué tanto? Si el refresco cuesta un dólar. Señor, es lo del consumo, recalca ella. Pidieron dos cocas y dos emparedados cada uno. Y querían dos langostas, pero aquí no las preparamos, disculpe usted. Que si no serían cincuenta dólares. La langosta cuesta veinte dólares. Está bien, cóbrese los diez dólares. Demóstenes Cuarto se sienta junto a Yésica. ¿Nos vamo mi amor?, le habla dulzona. ¡Que ya me muero de gana por hacerte rico, papito! Le da un beso en la mano, y lentamente se la lleva al pecho. La frota contra sus chichis carnudas, duras. ¡Chica, vamono ya, que se hace tarde!, manifiesta serio el chamaco, de unos veinte años de edad. O ya sé, chico, te molestaste por que pedimo de más. ¿Verdad? Eso es. Estás molesto. Pero mi amor, no te enojes, ahorita ya tú verá lo que te voy a hacer. ¿Me trajiste algún regalito, mi vida? Mejor nos vemos en otra ocasión. Ya me voy al hotel a dormir. ¡Pero qué pasa, chico!, explota el chamaco. Tú venías muy contento hace un ratico, susurra Yésica. Por qué cambias tú mi amor. Mira que soy muy jovencita y esta desilusión me puede afectar mucho. Me puede traumar, tú sabes, si ya pensaba que tú eras el hombre de mi vida, el que podía salvarme, sacarme de este país, no me hagas esto, hombre, por Dios, vas a destrozar mi corazón. Además, chico, ella necesita el dinero, sentencia el chamaco. Tiene a su madre muy enferma. Si tú la vieras, chico. Te partiría el alma. Yésica comienza a llorar. Su madre, su santa madre está en el hospital, chico. Necesita medicinas pa su tratamiento. Que se puede morir si no le lleva las medicinas esta noche. ¿Por qué tú me haces esto mi vida?, dice Yésica compungida. Vela tú, ¿no te conmueve, hermano? Si es una criaturita, una niña santa. No, camarada. ¡Esto no es de hombres! Y tú, que te ves muy serio, muy responsable, muy hombre. Le haces esto a mi... ¡prima!, a esta indefensa niña. Esto no se le hace a una mujer. ¡No, señor! Por las voces que elevan el tono los clientes empiezan a mirarlos disimuladamente. Saben qué, jóvenes, novios seguramente, o pareja arrejuntada nada más, aquí están diez dólares para que paguen un taxi y se puedan ir a su casa. Los felicito porque son excelentes actores callejeros. ¡Nos vemos! ¡Bueno, chico, está bien! ¡Pero no le digas nada a la policía!, vocifera el chamaco. Chao, mi amor, dice Yésica limpiándose los ojos con el papel que envolvía el emparedado. Cuando Demóstenes Cuarto cruza la calle escucha a sus espaldas.

-¡Méji! ¡Méji!

-Qué tal. ¿Cómo le va joven?

-¿Cómo la está pasando?

-Bien, gracias.

-¿Del dee efe?

-No, no.

-Yo tengo amigo de su país, de Jalico y de Monterrey. ¿Ha de etrañar el tequila?

-No, no tanto.

-¿Y qué tal? ¿Cuándo llegó?

-El lunes del mes pasado.

-¿Y le ha gustao la ciudad?

-Sí, claro. La estamos conociendo a detalle.

Pasa un carro a los pies de ellos. Se suben a la acera del hotel. Demóstenes Cuarto mira a los jovenzuelos sonrientes salir del restaurante a paso veloz. En la esquina doblan a la izquierda.

-Aquí cualquiera puede ayudarlo, comenta el joven. Todo le pueden dar información. Y lo pueden acompañá a donde quiera. ¿Y vino solo? ¿O su mujé lo epera allárriba?

-Vine solo.

-Bueno, si quiere le puedo presentá unas amiga. ¡Hermosas! ¿Cómo le gustan las mujere: güera, morena, mulata, negra, rubia?

-La verdad... todas las mujeres me gustan.

-Hombre. Aquí hay de todo. Nomá diga. De lo demá yo me encargo. Pa eso estoy aquí. No tenga miedo. Ademá, aquí puede andar en la noche, en la madrugada, sin ningún problema. Nadie le roba nada. ¿No es como en su país, verdá? Por lo que sabemo y comentan los turista.

-Allá es un poco diferente. ¡Se vive otra realidad! Podría tipificarse como la jungla de cemento.

-¿Es verdá que la ciudá capital es un peligro, señor? Que si uno sale de la casa, ya no sabe si va a volvé. ¿Que lo pueden asaltá o violá y hasta matá? Eso está muy feo, por dió. Eso no pasa aquí, quiero que sepa. Aquí, como verá, ai un policía en cada equina. Esta ciudá es la má segura del mundo. Porque las leyes aquí son muy severa. Por ejemplo: si alguien le roba la cartera, ¡ciudado chico! Porque son cinco año de cárcel.

-Joven, disculpa, pero tengo que subir a la habitación. Me urge hacer una llamada telefónica.

-Bueno, señor. Aquí lo epero... pa seguí conversando. Y a lo mejó se anima, y vamo a dar la vuelta, a conocé unas chica... Aquí en eta isla yo soy su mejor amigo. Y lo puedo llevar a comer una rica langosta.

-Te agradezco tu atención. Pero hoy ya no salgo del hotel. Tengo mucho trabajo qué hacer. ¡Hasta pronto!

-Bueno, señor... ¡Pero a lo mejor mañana! Si usted se anima... por aquí me encuentra... a esta hora... Siempre ando a la caza de un turista...

En la entrada del hotel Demóstenes Cuarto saluda a los vigilantes. Uno de ellos le habla en voz baja: Pa decirle, señor, si usted desea una chica esta noche, nomás diga, nosotros se la subimos al cuarto con muchas reservas, muy discretos todos, nadie se va a enterar. Le agradezco su atención, señor custodio. Tal vez otro día. Alcanza a meter los brazos cuando las hojas metálicas van cerrándose. Éstas retroceden para dejarlo entrar. Un hombre tambaleante recargado a uno de los lados-espejos abraza con mucho cariño una botella. Viste pantalón de mezclilla azul y chamarra de cuero negra de motociclista. Calza tenis blancos.

-Aaal dieezzz... pooor faaavoor... articula con cierta dificultad.

-Con gusto, señor, contesta Demóstenes Cuarto oprimiendo los botones números 6 y 10.

El hombre, al oír un tono de voz familiar, pregunta:

-¿Meexiicaannoo?

-Así como lo puede oír.

-Paaaiisssaaanoo... Diiscúúlppemmeee... peerooo aaandoo... meediioos chiileesss...

-No se preocupe...

-Nooo quieeree uussteedd uun traaguiitoo. Eess deee roon. Deell meejoorr roonn haabaneerroo...

-Muy amable. Pero ya me voy a dormir.

-Saaludd...puueess...

-Salud. Y que se la siga pasando bien. Aquí bajo.

-Paaissaaanooo... Teeneemooss dooss neenoorraass en eel cuaartoo. Podeemooss peediirr otraa paaraa ussteed.

Demóstenes Cuarto habla por teléfono con el Chino: dile de favor a la joven que le agradezco su desprendida gentileza, su grata compañía, pero me es imposible regresar, tengo asuntos muy importantes por atender aquí, vendrán unas amigas que conocí el otro día en el aeropuerto, a lo mejor salgo a bailar con ellas y de seguro no me van a cobrar ni un peso isleño, ah, y te comento de una vez, a tu amiga le di diez dólares libres de impuesto con el compromiso de no hacer nada, quedó muy contenta. ¡Pero chico! Yo ya te aparté el cuarto. Son veinte dólares por el alquiler. Yo no puedo perder. Tranquilo, Chan Ken. Mañana pasaré a liquidar la deuda. Sí es así, chico, está bueno, ya no digo nada, porque además, está pendiente la cerveza que agarró Og anoche. ¿Tú te acuerdas? Sí. Inclúyela en la cuenta. Y no te cobro la langosta que tengo en el congelador porque no se la llevó, no la vio afortunadamente. Porque se le hubiera antojado la verdad, supongo yo, y a quién no. Hasta pronto Chan Ken. ¡Está bien, buena suerte!

Demóstenes Primero consulta el reloj colgado en una de las paredes de la habitación. Todavía falta, por lo menos, una hora para que llegue el representante de la agencia de viajes. Un auténtico ruso, aunque él lo niegue, está convencido. Los mareos desaparecieron bajo el chorro de agua fría sobre la cabeza y por todo el cuerpo. Prende la televisión para entretenerse un poco.

No sirve. Carambas. Puras rayas grises horizontales de abajo hacia arriba en la pantalla. Más el ruido electrostático: señal prueba irrefutable de la resonancia cósmica originada desde el nacimiento de este universo hace quince mil millones de años. Ojea los libros comprados en la víspera del viaje. El gato y el ratón, de Günter Grass; El Rayo Macoy, de Rafael Ramírez Heredia; Los 100 mejores libros del siglo XX, de Francisco Prieto; Los 120 mejores cuentos de las tradiciones espirituales de oriente; Grandes escritores rusos. El silencio arrulla la placentera lectura con una atmósfera de absoluta quietud ambiental, propicia para el surgimiento de la luminosa inspiración, digna de todo creador de arte. Duniesky pasa a las dos de la tarde en punto. En menos de treinta minutos están en el otro hotel, dentro del lobby.

-Deseo que tu estancia en la isla sea reconfortante, Demós. Y, bueno, por cualquier cosa, aquí tienes el número de teléfono de mi casa. Háblame con confianza. ¡Por cualquier cosa, chico! ¡Y nuevamente te expreso la bienvenida al verdadero paraíso de la Tierra!

-Sí, muy amable.

Un maletero acompaña a Demóstenes Primero a dejar el equipaje. En cuanto el señor da la media vuelta en el pasillo cierra la puerta silenciosamente. Demóstenes Tercero llama por teléfono a Consuelo. Al tercer timbrazo le contesta la mujer, agradecida por la llamada y los datos proporcionados. En una hora te hablo, chico. Demóstenes Cuarto, en su respectiva habitación y hotel, le habla al Chino. Saca la tarjeta que le diera de la bolsa del pantalón. Oye, Chan ke, ¿es tu amiga la jovencita que llegó cuando salíamos con Og, Naibia y Lieria? Por supuesto, chico, cuando gustes te la puedo presentar. Si no hay inconveniente, te parece hoy ¡a las siete de la noche! A esa hora la tendrás aquí en la casa. ¡Perfecto! Guarda la tarjeta del Chino en la bolsa de su camisa. Pensativo se recuesta en la cama. En la isla con sabor y ritmo caribeño Demóstenes Cuarto va a despojarse de su desagradable pasado inmediato vivido en la administración pública estatal. Y en la política en los últimos tres años. A un respiro de quedarse dormido suena el teléfono. Es Cirineo. ¡Estoy a la orden chico!, sí, aquí, abajo, en el hotel. La cita con su amiga dentro de una hora. Tiempo idóneo para caminar antes del encuentro. Dirigen sus cuerpos hacia el malecón. Cirineo sugiere tomar un taxi porque el lugar de la cita queda muy retirado. ¡Por el Vedado! Y la Ciudad Vieja… y... es inútil su insistencia, Demóstenes Cuarto opta por el-dodge-pies. A Cirineo no le queda más que resignarse cabizbajo. Chorrea litros de sudor por cara y brazos. Quizá tenga genes holandeses por sus ojos verdes y su piel rosada y su pelo rubio, infiere Demóstenes Cuarto. El mar a su costado izquierdo enmarca el espléndido ocaso rojizo a lo lejos con el sol amarillento sobre la línea del horizonte. Mucha gente "pide botella" a lo largo ancho de la avenida.

-Oye, Cirineo. ¿Esto de acompañarme lo haces por amistad o por algún interés? ¿Acaso porque deseas ganarte una propina?

-Chico, por favor. Soy tu amigo. Y no te pido un solo dólar. Aquí en la isla, yo quiero que tú sepas, tienes un amigo. El primero que conociste en el país. ¡Recuérdalo! Un verdadero amigo. ¡Que soy yo! Ah, y quiero decirte: si te pasa algo aquí en este país, primero me pasa a mí, ¿me entiendes?

-Sí, sí. Muchas gracias.

-Pero, bueno, hay que ser realista, chico. Que quede claro. Yo no te acompaño por dinero, porque quiera que me des unos dólares. No, chico. Ah, pero ya después, ¡si tú ya crees! que es conveniente... ¡darme una propina!... por mi tiempo… mi servicio como guía voluntario a iniciativa propia… etcétera… eso es aparte. Pero, bueno, las mujeres son diferentes. Ellas sí te acompañan por dinero. ¡No hay una sola mujer en toda la isla que no te cobre algo, chico! ¡Para que ya tú sepas!

-Entonces... la jovencita que vamos a ver...

-Sí, sí, hombre. ¡No te asustes! ¡Te va a cobrar, chico! Claro. Ya tú conversas con ella, hombre. La verdad, no sé cuánto te va a cobrar. Pero, déjame decirte, ¡sí los vale la chica!, nenené, tanto, que te envidio chico. ¡Por Dios! Ya quisiera ser tú.

-¿No es una jinetera?

-Hombre, por Dios. Que es una amiga mía. Paulina se llama.

Chica seria. Sana. Ah, mira, en ese edificio estuvo hace muchísimos años la poderosa embajada de los Estados Unidos de América. Hoy es una vetusta reliquia de la Guerra Fría.

El recorrido del extranjero en busca de aventuras dignas de transmutarse en literatura y del nativo en pos de ganarse unos dólares, se prolonga por infinidad de avenidas y calles. Ambos impulsados sutilmente por las bocanadas hirvientes del horno ambiental. A metros de caminar por un callejón embudo entran en una cafetería.

-Siéntate Demoste. Voy por la chica, dice Cirineo.

Luego vuelve con una adolescente vestida de leotardo, pans y tenis negros; a pesar de su ligera delgadez es esbelta, de ojos negros, pelo rubio, güerita. Se toman tres cervezas cada uno. Ella los deja un momento para ir a la casa de alquiler. Quiere asegurarse de que todo esté listo para la noche de amor.

Demóstenes Cuarto pregunta a Cirineo si conoce al Chino. Le enseña la tarjeta con su nombre y dirección.

-Claro, chico. Esta casa queda cerca de aquí. Vamos a visitarlo, ya si tú quieres, para tu plena tranquilidad, chico.

Cuando la jovencita se entera del cambio de planes increpa a Cirineo. A los pocos segundos desiste de su protesta.

-Está bueno, afirma ella. Vamo a ver. Voy a avisá que siempre no iremo a la casa. Esperen aquí. Ya vuelvo.

Más tarde, de camino hacia la casa del Chino, ella los sigue a prudente distancia para que nadie de sus vecinos sospeche nada.

-Chico, ahora ya te vas a olvidar de mí, exclama de pronto Cirineo. Ahora que tú ya tienes chica, me vas a aventar como si fuera basura, chico. Recuerda: yo sigo siendo tu amigo. ¡Recuérdalo bien!

Cirineo toca la puerta con la palma de la mano derecha. Sale a abrirles el Chino. Éste acepta alegremente el trato. Por veinte dólares está disponible el cuarto con baño, y ventilador, y refrigerador con refrescos y cervezas bien fríos. Llaman a la jovencita que esperaba en la esquina. Demóstenes Cuarto entra con ella en el cuarto.

-El tipo ese fue ¿verdad?, reclama airosa. Si no soy tonta,

chico. Él te dio la tarjeta para venir aquí, ¿verdad? De seguro va a ganarse una comisión, el carajo. Pero está bueno. Qué remedio. Pero, por favor, que se largue ese tipo. Ya no lo quiero ver aquí.

-No te inquietes. Cálmate. Voy a hablar con él.

Demóstenes Cuarto conversa con el fortuito guía de turistas al pie de la puerta de la calle.

-Yo aquí te espero, chico, dice Cirineo categórico. No me muevo de aquí. Porque, ya tú sabes, quiero hablar con la chica. Quiero arreglar un asuntico con ella. Bien que la oí ladrar.

-Nos vemos mañana, Cirineo. Háblame al Habanera Libre. Después de mediodía.

-Ya tú ves. Te lo decía, chico. Como ya tienes mujer, ya no te interesa mi amistad. Te lo decía hace un ratico. Mejor ve tú. Entra ya. Goza a la mujer. Yo aquí te espero. El tiempo que sea necesario. Después me invitas a cenar, si tú ya quieres y luego podemos ir a un bar. A conocer otras chicas. Bueno... ya conversaremos. Anda. Gózala.

Demóstenes visita a la joven. La encuentra recostada en la cama.

-No se quiere ir el cuate.

-Ya esto no me gusta, chico. Pero, bueno, vamo a conversar. ¿Te dijo cuánto te iba a cobrar?

-No, no me dijo nada.

-¡Te das cuenta cómo es ese hombre! ¡Con puras mentiras vive el hombre de este país!

-Ya, ya, cálmate, no grites, pareces una mujer parturienta o menopáusica o en periodo menstrual. A ver dime. En cuánto sale el chistecito.

-Bueno, te voy a cobrar barato. ¡Cuarenta dólares!

-¿Y qué tiempo podemos estar?

-Toda la noche. Desde ahora mismo. Hasta mañana. Cuando amanezca. Chico, aprovecha la oferta, es barato. ¡Yo cobro de cincuenta a cien dólares! Tú porque me caíste bien.

-Está bien. ¿Pero qué hacemos con el tipo ese como le dices tú?

-Ahí déjalo. Olvídate de él, chico. Al ratico se va. Ven a la cama. Acuéstate conmigo. Ponte cómodo. Eso, ven, dame un rico beso en la boca, papito.

Trkdbsdfkgj, trkdsdkfghhg. Resuenan dentro de la habitación golpes en la puerta. Es el Japonés. Afuera, en la sala, le susurra: Ya llegó Jésica, te está esperando, allá adentro, sentada en el sillón, junto al baño. ¡Ve tú a verla! ¿Ahora cómo le hago con la otra joven? Ya tú sabrás, chico. Pero ten cuidado, que si se enojan te van a hacer un escándalo. Y, bueno, yo aquí no quiero gritos, ¿me entiendes? ¡Yo no quiero aquí a la policía secreta! ¡Yo menos, cuate shaolín! ¡No quiero meterme en líos! ¡Si yo vine a esta isla a descansar! Bueno, tú sabrás. Que si vienen los agentes secretos hasta de espía de la CIA te acusan y a mí como tu contacto en el país. ¿Espía de la CIA? No friegues pinche Chino. Bueno, no te enfades, sólo supongo lo peor. Ah y el nativo no se ha ido. Está afuera, sentado en la banqueta. Se ve muy enojado. Dice que te va a esperar. ¡A la hora que sea! Hombre, no te compliques la vida, dile a la amiga del tipo ese que se vaya. Dile que no quieres nada con ella. Será su novia. Y no pasa nada. ¡Que se la lleve, hombre! Dale a él una pequeña propina y lo dejarás contento. Ahorita resuelvo esto mi estimado asiático. Demóstenes Cuarto entra en el cuarto. ¿Qué pasó chico? Estoy convenciendo al camarada para que ya se vaya. Espérame aquí. Pero no tardes mi amor. Demóstenes Cuarto atiende a la otra jovencita. ¡Hola chico!, lo recibe ésta con un beso en la mejilla. Me alegra que acudas a la cita, le dice Demóstenes Cuarto agarrando la mano derecha de la mujercita morena clara, de ojos de miel, pelo negro corto. Aquí me tienes, para lo que ya tú quieras. Ayer que te vi, dije, este hombre va a hacer mío. ¿No me digas? Lo supe por tu manera de verme, chico. Con fuego en tus ojos. Con deseo. ¡Así como tú me viste nena! Bueno, la verdad, me gustas, chico. Por eso vine. Oye, preciosa, y tú... y tú... ¿Qué quiere tú decirme, chico? Sin pena, dilo ya. ¿Tú cobras? Claro que sí, hombre. Que así como tú me ves, pequeña, de diecisiete años, ya soy toda una profesional. Y cada día cojo más experiencia. Pero a ti te voy a cobrar barato, hombre. Porque me gustas y me caíste bien. ¡Cuarenta dólares nomás! ¡Disculpen que los moleste! ¿Qué pasa amigo Coreano? Chico, te hablan acá afuera. Espérame aquí preciosa, no te muevas. Ahorita nos arreglamos. Ha de ser el cuate, a lo mejor ya se va. Bueno, anda tú a despedirlo, y no tardes mi amor, que yo aquí te espero, esta noche no te me escapas, pronto probarás la mejor carne de la isla, no como la de esa negra fea que te llevaste anoche. ¡Ya vuelvo, nena! La veinteañera exige su presencia. Está como leona enjaulada. ¿Chico, pero qué tú haces? ¿Vamo a hacer el amor o no? Sí, sí. Espérate tantito, con calma. Si no, chico, me voy ahora mismo. Bueno, reina, si quieres irte, yo qué puedo hacer... Comparando a las dos mujeres le gusta más Yésica... Bueno chico, yo me largo de aquí... Demóstenes Cuarto suspira agradecido. Todo culminará en un final feliz. Se acostará con la mujer de su predilección, y sin armar ningún escándalo en el país, susceptible de ser publicado en el Granma o en Palante. O difundido en todo el mundo a través de Prensa Latina. Qué policía secreta ni que espía de la CIA. Cuando abre la puerta, para darle paso a Paulina, afuera está Jésica, quien grita indignadísima: ¡Ah, con que tienes otra chica aquí! El ocasional guía de turistas, recargado a la puerta de la calle, abierta por el Tailandés sonriente, reverente, lo saluda con la mano, muy risueño también. Empuña la mano derecha, dejando ver su pulgar levantado, manifestándole así sus mejores deseos. ¡Eso es todo mi campeón! ¡Duro con las dos! Bueno, chico. Yo ya he cambiado de opinión, dice Paulina. Ahora no me voy. Quiero que tú me cumplas. Pero ya te ibas ¿no? No, siempre no. Yo necesito que me hagas el amor... ahora mismo. Yo quiero que tú me ames. ¡Toda la noche! Pues yo tampoco me voy, chico, secunda Yésica. El Taiwanés, encogiéndose de hombros y agachándose ceremonioso, sale a la calle y cierra la puerta a sus espaldas para acallar los gritos de las mujeres enardecidas. Jésica da un paso adentro de la habitación y cierra la hoja metálica. Ahora nos cumples a las dos, ordena Yésica. Se quita la camiseta y la avienta a la cama. Sus senos saltan del brasier ante la mirada atónita de Paulina que abre más la boca. Yésica se acuesta boca arriba contorsionando el cuerpo. Con los ojos extasiados mira a Paulina quitarse la blusa pausadamente. Ésta no lleva brasier y apenas deja al descubierto unos pequeños botones en el pecho. Se sienta junto a Yésica. Las dos exploran fascinadas sus mutuas cejas, ojos, labios. Sonríen seductoras. Yésica se toca sus enormes senos suavemente ante la mirada hipnotizada de Paulina que parece acariciarlos con pupilas, manos, labios, dientes. Bueno, muchachitas, comenta Demóstenes a fin de romper el estrecho de Bering, y todo el territorio de Groenlandia. Para que no haya problemas me voy a quedar con las dos. Pero ya sabes, chico. Tienes que pagar cuarenta dólares a cada una. Sí, mamacitas, lo que ustedes digan. Te vamo hacer sabroso y rico, chico, silabea melosa Yésica. No te va arrepentir. ¿Verdá tú? Claro que no, balbucea Paulina aderezando las palabras con dulces gotas de miel de abeja. Se quitan sensualmente la demás ropa. Te vamo a hacer gozar como nunca, ya verás, chico. Demóstenes Cuarto apaga la voz de Yésica con un beso aspirador de líquidos corporales. Luego prueba los labios encaramelados de Paulina. Pero, chico, páganos por adelantao, solicita Yésica, excitada al extremo, con los pezones bien parados, igual a los de Paulina. Ambas se los tocan recíprocamente. ¡Por supuesto, mi niña bonita! Contesta Demóstenes Cuarto con los ojos clavados en los pezones rojizos, erectos, apetitosos de las jovencitas traviesas. Saca su cartera de la bolsa derecha del pantalón. Queda estupefacto. Sólo diez dólares, nenas. ¡Qué pasa, chico! ¡Se me olvidó el dinero en el hotel! ¿No es posible, chico? Como nos haces tú esto a nosotras. Por Dios. Estamos que hervimos. A punto de evaporarnos. ¡Yo también chamacas calientes! Bueno, vamo al hotel por el dinero que eso no es problema. ¿Y qué más tú tienes allá, chico? ¿Que puedas regalarnos? ¡Un recuerdito! Se arreglan las mujeres más rápido de lo que se desvistieron. Chica, yo lo acompaño para que no se quede, sugiere Yésica. Está bueno, aquí nos vemos en una hora, asiente Paulina. Las jovencitas se dan un beso tan sincero, tan natural, tan apasionado, a los ojos desorbitadamente ingenuos, el corazón celosamente incrédulo de Demóstenes Cuarto, que éste, atragantándose con su propia saliva por tal espectáculo impactante, jamás testimoniado en vivo, viendo caer a menos de un metro, en menos de un minuto, uno a uno los principios morales con que formara su personalidad creyente en los cielos inmaculados del más allá, durante ese interminable intercambio de deliciosos jugos salivales agitadores de millones de hormonas femeninas, evidencia palpable, por un lado, del mutuo gusto desenfrenado de ellas por las mujeres, con el apetito latente de amarse intensamente toda la noche, representantes de la raza humana del mismo sexo a punto de fusionar sus almas frente a un mancho, y por otro, ¡señal irrefutable de los tiempos apocalípticos!, no es posible, jala del brazo a Yésica y sólo así puede despegarla cual tapón de sidra en Navidad de la boca imán aspiradora de Paulina. Salen a zancadillas veloces de la habitación. Le explican apresuradamente lo sucedido al Mandarín en el pasillo. Lo de la cartera sin muchos dólares. Nada del esplendoroso beso lésbico con aliento de miel amorosa eterna. No hay ningún problema, aquí los espero, afirma sonriendo, moviendo la cabeza de izquierda a derecha, entre reverencias. ¡Suele pasarle a muchos! Demóstenes Cuarto, con el cuaderno de apuntes sostenido en las manos frente a sus ojos, acostado en la cama boca arriba, con la ropa puesta, aún está anonadado por la imagen grabada tan nítidamente en alguna neurona de ese sello amatorio facsimilar de aniversario único de las jovencitas posmodernas. Momentáneamente Demóstenes Primero no tiene ganas de nada. Ni de escribir ni de leer. Ni de ver la televisión. Ni de dormir. Ni de pensar siquiera. Pasea la vista por las paredes. Hace círculos pequeños, grandes sobre la pintura color café. Calcula las dimensiones de la enorme cortina color melón. Define los contornos de la televisión con molduras de plástico negro. Da volumen al espejo lustroso del tocador verdoso. Imprime brillos a la lámpara color café de mesa. Colorea el techo gris pulimentado. Intenta mover con los pinceles visuales el ventilador que pende de él cual hélice invertida de helicóptero de juguete. Intensos soplidos calurosos barnizan su cuerpo entero. De un salto deja las sábanas. Agarra las llaves del cuarto y sale. Irá por un refresco al restaurante de enfrente. Ahí son más baratos que en el hotel. Dentro del establecimiento ve una mesa desocupada junto a los refrigeradores. Cambia de planes al instante. Se tomará aquí mismo el refresco. Mejor pide una cerveza helada cuando la mesera toma el pedido. El aire sopla fresco, a través del barandal metálico de la entrada, procedente de la fachada del hotel. En una mesa contigua conversan dos muchachas morenas. Sonríen al toparse con su mirada. Una de ellas cruza las piernas. Deja ver una impenetrable cueva bajo la tela del vestido. En la parte superior de ese hermoso organismo femenino un par de faros encandilan intensamente. La mujer se balancea en el asiento como si algo le rascara los glúteos. Se agacha para sujetar la correa de su zapatilla. En esa posición deja al descubierto, a través del escote de su vestido, un par de limas reinas baleando. Quiere arrancarlas de un tajo para chupar cada uno de sus gajos y exprimirles todo el jugo de la vida.

-Voy al baño, chica, le dice a su compañera. ¡Ya vuelvo!

Semeja una estatua griega esculpida por Fidias o Praxíteles. Las nalgas de la juvenil escultura armoniosa besan el filo de la mesa suavemente. Es una Afrodita de uno ochenta de estatura tal vez. Un monumento de mujer-mármol con esas proporciones… esas sinuosidades... una sirena... caminando en la playa sobre la arena... en pos de su Poseidón... Allá en el fondo... del mar... de luces rojizas... se diluye la silueta. Demóstenes Primero tensa las piernas, las manos, traga saliva imaginando ser el amante de la mujer exuberante. A un costado platican dos nativas y tres españoles. Por la calle pasa un hada vestida de negro, de blusa y pantalón satinados, con zapatillas plateadas, alejándose del local. Una cascada rubia ondula por su espalda hasta las piernas. Qué buscará a estas horas nocturnas tal ninfa de leyenda. Una mesera veinteañera bonita, cejoncita, de ojos y pelo negros, y sonrisa coquetona, piernudota, le trae la cerveza.

-Gracias señorita.

-De nada, señor. Buenas noches, contesta ella.

Se contornea directo hacia la barra, justo por donde la sirena emerge del océano primigenio en medio de las aguas abriéndole paso… en medio de las olas-miradas de los navegantes-presentes… Bambolea el cuerpo bien torneado… sonríe dadivosa ante las mujeres deseosas de tener tales atributos de diva… y los hombres entre suspiros… soñando poseerla... toda la noche... hasta el amanecer... una semana... un mes... todo el tiempo... amándola… en las profundidades del Mar Caribe...

Demóstenes Primero vuelve el cuello y los ojos a la derecha del recinto para contener el fuego corporal in crescendo. Tanta tentación anatómica femenina le despierta el espíritu de heroico guerrero. Descubre a la cabellera rubia de Berenice sentada en el rincón con un libro negro en las manos. Ella lo mira inclinando su cabeza. Demóstenes Primero compara a la sirena mitológica con aquella mujer de cuento de princesas. Lo atrae más la electrizante cascada de oro. Toma su cerveza de un jalón y va a verla. Acerca una silla a su mesa y se sienta. Ella le muestra el libro negro: una Biblia. Le señala un párrafo: "La vida te será más clara que el mediodía; Aunque oscureciere, será como la mañana; Tendrás confianza, porque hay esperanza; Mirarás alrededor, y dormirás seguro. Job 11:17-18"... Por su apariencia, por sus ropas y facciones de la cara, luce diferente a las demás mujeres. Con voz chispeante musita:

-Te voy a ser sincera, chico. No puedo mentirte.

-¿Qué pasa señorita?

-Bueno... ¿Cómo decirte? Es que yo no acostumbro estos lugares. Es la primera vez que vengo aquí, a este restaurante.

-¿A qué obedece tal explicación?

-Bueno, creo vas a entender. Esto lo hago para ayudarme, para pagar mis estudios de idiomas. La verdad espero dejarlo pronto. Y no volver jamás a esta vida. No creas que me gusta mucho.

Sus dedos de realeza europea recorren una por una las hojas de la santa Biblia.

-Por mí no te preocupes.

-No soy como las demás chicas que sí se dedican a esto. Ellas son profesionales. Trabajan en esto. Yo soy una mujer decente.

-¡De cuánto estamos hablando!

-Te voy a cobrar cincuenta dólares. Pero te vuelvo a repetir: no lo tomes como un cobro. Tómalo como una ayuda, una buena ayuda que me das, para pagar mis estudios de idiomas. Estoy aprendiendo inglés y francés. Estoy en primer año.

-Bueno... así como tú me has hablado sincera, te voy a confiar algo. La verdad no tengo mucho dinero. Me queda muy poco. Apenas para comer los últimos días que voy a estar en la isla.

-¿Cuánto es lo que tú me puedes dar?

-¡Treinta dólares!

-Bueno... por ser para ti. Porque me has caído bien. Eres sincero chico. Ah y así como tú me ves, ando sin comer. No he comido nada en todo el día. ¡Por Dios!

-¿No es posible? Por favor, pide algo.

-Pensarás que te molesto mucho.

-¡De ninguna manera!

-Voy a pedir un emparedado y una cocacola, mientras tú vas al hotel por dinero. Pero... oye, paga antes, porque si no me van a sacar de aquí. Yo no tengo ningún peso isleño. Y ya si tú quieres, otro día me invitas a comer langosta.

-Bien, le voy a decir a la señorita.

-Pero regresa hombre porque si no en qué lío me metes. Que hasta la policía me anda llevando. Te vuelvo a repetir, yo soy una mujer decente.

-A ver, dime algo: ¿tú crees que regrese o no? ¡La verdad!

-Bueno... es que así me han hecho en otras ocasiones. Se van y ya no vuelven.

-¿Crees que voy a regresar o no?

-Bueno... tú te ves diferente. Voy a confiar en ti. Creo que sí.

-¡Aquí estaré pronto!

Demóstenes Primero sube al cuarto. Se cambia de camisa. Se perfuma. Busca en su maleta algo para regalarle a la infanta de la Edad Media. El shampoo de Jojoba contra la caspa recién adquirido. Para que cuide su cabellera medieval, inspiración de memorables aventuras de infinidad de juglares y caballeros andantes. Está muy ad hoc. Mete el frasco dentro de una bolsa de plástico negra. En el restaurante, la aspirante a reina charla junto a dos cortesanos de rasgos europeos. Gallegos tal vez.

-Creí que ya no regresabas, chico, dice ella con cara de yo no fui. Como ya han pasado más de diez minutos.

-¡Estoy listo preciosa!

-Ya veo. Bueno, vamos que se hace tarde. Ahí viene la mesera. Adiós chicos.

Demóstenes Primero paga la cuenta. Buscan un taxi. Ella no quiere subir al coche por el policía de la esquina.

-No pasa nada, chica, dice el taxista. ¡A ver, suban ahora que está de espaldas! Les abre la puerta trasera.

-Es que te digo. Yo no he andado en esto. Es la primera vez. Soy una mujer decente. Una hija de familia. Tengo mucho miedo. Me vaya a agarrar la policía.

-Andando con un turista no les dicen nada, ¿verdad?

-No, pero han de pensar que soy como las otras.

-¡Como las jineteras!

-¡Y no es así, chico! Soy una mujer muy decente, te repito. Una chica de familia, de casa, hogareña, universitaria. Pero la necesidad obliga a uno a venir a estos lugares.

A los pocos minutos pisan la entrada de su castillo antiquísimo. Suben unas escaleras de cemento desniveladas viejas. Entre la oscuridad van a tientas, guiándose, paso a paso, por la pared rugosa avejentada.

-No hagas ruido al caminar, porque ya los vecinos de todo el edificio están durmiendo. Tú sígueme. Ven, agárrame de la mano. Eso es. Por acá. Vamos bien. Ahora, no te muevas. Aquí espera. Voy a ver si mi padre está dormido.

Demóstenes Primero vislumbra el desvanecimiento de una estela diamantina por el ojo de las tinieblas. Suena el quejido de una puerta que abre, cierra discretamente. Resuenan pasos despeñándose calladitos en las profundidades del silencio. Pasa más de un minuto y no vuelve. ¿La mujer lo ha engañado? ¿Gritará para que todo el vecindario y servidumbre cortesana se entere de la estafa? ¿Va a golpear cualquier puerta? ¿Lo dejaría en un calabozo?

-No, señor, aquí sí hay muchísimos problemas. ¿No está grabando, verdad?

-¡Cómo va a creer!, exclama Demóstenes Segundo.

-Porque cuidado si se enteran los del Estado, de esto que decimos, nos va muy mal. A mí a lo mejor me suspenden de la escuela para que ya no termine la carrera. Y a mi mamá hasta la podrían despedir de su trabajo. Igual que a mi padre.

-Oiga, ¡no me vayan a fusilar a mí por platicar simplemente con ustedes! Yo vine a descansar a esta isla.

-No, no. A usted no le harán nada. Quizá nomás lo deporten.

-Menos mal. ¿O sea que está muy severa la represión?

-¡Por Dios, señor! ¡Que usted está aquí! En una isla apartada del mundo. Aquí nadie se escapa al castigo. Está absolutamente prohibido declararse en contra del Estado. Por eso señor, esto que conversamos ahora, que quede guardado entre nosotros, ¿sí? ¡No vaya a publicar nuestros nombres!

-¡Se los voy a cambiar! Entonces no están conformes con sus circunstancias.

-¿La verdad? ¡No estamos contentos con esto que está pasando!

-¿Pueden hacer algo para cambiar esta inaceptable situación tristísima?

-¡No nos dejan! Aquí no hay libertad de expresión como en los demás países. Al primero que intente una rebeldía, en donde sea, centro de trabajo o estudio, de inmediato es acusado de traidor a la patria. Aquí están prohibidas las huelgas, es más, ni sindicatos existen. Y todo lo controla el Estado.

-¿Y ustedes conocen al mentado comandante?

-No. La verdad nunca se deja ver. Es más, pocos saben dónde vive. Sólo en las manifestaciones sale a conmemorar alguna fecha cívica. ¡¿Pero a mí?! ¡La verdad! Ni me interesa saber de él. Yo lo único que veo es cómo está el pueblo. ¡Cómo sufre, cómo padece hambre! Y sin ser egoísta, yo nomás pienso en mí y en mi familia. ¡Porque así nos ha hecho el sistema! Nos está haciendo insensibles, duros de corazón. Nos está deshumanizando. Ya sabrá que yo soy materialista, en el sentido de que sólo acepto lo que veo. Sólo creo en lo que perciben mis sentidos. Y la única fe que yo tengo es la de los Familiares en el

Extranjero. Esa si es FE. ¡Aquí no podemos aspirar a mucho!, señor. ¿A qué pregunto yo? Por ejemplo yo: cuando termine mi carrera, si no salgo de la isla, me van a mandar dos años al servicio social. ¡Van a ser dos años de mi vida desperdiciados! Yo quiero especializarme, quiero ser una profesionista reconocida. Pero eso sólo lo lograría fuera de aquí. En otro país. ¡Aquí jamás! Por eso me urge salir de la isla antes de septiembre. Porque una vez que comience el próximo año de estudio, ya no va a ser posible. Ah, quiero que sepa: conocimos a unos méjis hace unas semanas. Nos dijeron que tienen la profesión de vendedores ambulantes. Se portaron muy respetuosos con nosotros. Según nos van a ayudar a escapar de esta cárcel. ¡Vamos a ver si cumplen su promesa!

-¿De qué maneras pueden salir?

-¡Hay dos formas! Por una carta invitación. O casada. En el primer caso un amigo o conocido debe mandar esa carta invitación a la embajada de nuestro país en su país y debe pagar el trámite respectivo. Además se debe comprometer a que en determinado tiempo la persona que invita va a volver a la isla. El pago es de unos trescientos dólares.

-¿Y si fuera un casorio?

-¡Je-je-je! ¡Está chistosa esa palabra! Aquí no la usamos. Sobre el casamiento. El hombre interesado debe mandar todos sus papeles a la embajada bana donde acredite de que no está casado en su país. Luego de que apruebe la revisión debe venirse a pagar aquí los papeleos. Unos ochocientos dólares. ¡Y después ya! Busca un juzgado aquí y listo. Feliz el méji con su esposa bana. ¡Digo, por poner un ejemplo! Entonces sí la mujer casada con un extranjero puede salir sin problema. ¿Y usted con quién se casarías de las tres? Porque supongo que no es casado, ¿verdad?

-Así es. Bueno... la verdad a mí me gustaría casarme con las tres. A las tres me gustaría llevarme. Si se pudiera.

-Bueno... yo creo que por nosotras no habría ningún problema, ¿verdad Aída?

-¿Y tu Imelda?

-Ummm...

-Estás muy chica para pensar en el casorio, ¿verdad?

-Aquí, señor, a su edad, a sus dieciséis años, ya tienen hasta hijos.

-¿Y entonces Imelda?

-Sí... También me gustaría.

-Pero el problema es que no es tan fácil, acota Zaza. En el caso de Aída sí. Ella está divorciada. No tiene ningún compromiso. Imelda no podría, la verdad, porque está estudiando. ¡Le falta mucho para terminar su carrera! ¡Está muy chica la verdad! Y yo podría en julio o agosto. Sólo en esos meses.

-¿Le gustan los helados, Dem?, pregunta Aída.

-Sí, sí.

Por la plática tan fascinante sobre el método de cómo contraer un formal compromiso de pareja con una bella jovencita isleña, Demóstenes Segundo ni se da cuenta en qué momento entran a ocupar una mesa de superficie blanca como el mármol. Consumidas tres horas caliginosas está embelesado con las mujeres cautivadoras. Sobre todo con Zaza, la de ojos aceitunados y cabellera rubia ensortijada. Y más porque está seguro de haber vivido tales escenas en un mágico sueño premonitorio hace algunos días, cuya secuencia hasta el final por más que indagara en su memoria profunda no encontró a pesar de tanto esfuerzo mental. Quizá porque jamás vivió un final oníricamente. De ahí su ferviente curiosidad por saber en qué concluirá el feliz encuentro con las fortuitas acompañantes de esta tarde noche. Mientras su hermano Demóstenes Tercero, en su apasionada exploración de la realidad isleña, logra aplacar la incansable verborrea taladrante media hora después afuera del hotel Habanera Libre. La jovencita no quiere acompañarlo al vestíbulo. Decide quedarse en la calle, oculta en un poste, donde, supuestamente, no es vista por el policía que vigila la zona. En un abrir de ojos vuelve Demóstenes Tercero.

-Aquí están los veinte dólares, enfatiza.

-Gracias, Demós. Esto es pa mi hermano. Es negocio de él. Y de aquí voy a pagar mi boleto de la escursión. Es mi ganancia por vender la caja de puros. Porque, tú sabes, yo no iba a ir. No tenía dinero, la verdá. Ah, ¿me das los diez dólare pa pagar tu pasaje?

-Te los doy mañana. Cuando nos veamos.

-¡Pero chico! Tengo que apartar los lugares hoy mismo. El tuyo y el mío. Que nos van a ganar los asientos si no voy a pagar. Ahora mismo. ¡No desconfíes, chico! Ya sabes donde vivo. Si te robo, te quejas con la policía y ya tú verás lo que me pasa. ¡De la ley no me escapo! Y cuidado, que me anda llevando presa a la cárcel.

-No, no es para tanto.

-Bueno, chico. Ya tú sabrás. Pero yo necesito esos dié dólare.

-Está bien. Te los voy a dar, pero no me vayan a dejar.

-Chico, cómo tú piensas eso. A las cinco y media aquí yo te espero. En este mismo lugar. Para que te lleve a donde va a estar la guagua.

-¡En serio, Magura!

-Sí, hombre.

El despertador telefónico suena a las nueve de la mañana. De un manotazo Demóstenes Cuarto descuelga y dice ¡gracias señorita!, y con otro estirón de brazo cuelga inmediatamente. Antes de las diez tiene que bajar al restaurante para el desayuno buffet. Se levanta algo aturdido, aún cansado de tanto caminar ayer. El sueño más reciente escapa de su conciencia. Demóstenes Primero, algo adolorido de todo el cuerpo, logra siluetear en su memoria el cuerpo desnudo de la última amante de anoche. Desde su alcoba, ubicada en una de las torres del castillo medieval, admiraban las estrellas luminosas, la enigmática constelación de Orión. Demóstenes Tercero, acostado boca arriba en la cama, dentro de la habitación respectiva, cuenta los minutos mientras pasan por él Hortensia y Consuelo. Después de bañarse con agua fría, Demóstenes Cuarto sale del cuarto, relajado, sin malestares en el cuerpo, sin mareos ni dolores de cabeza. Por el elevador llega al sótano. De ahí conduce los pasos rumbo al restaurante con ganas de probar todo lo que haya en las charolas de plata. Por la sed que ya no aguanta bebe un vaso de agua y otro y otro. De una vez toma una jarra para llevarla a una mesa desocupada. Regresa por un plato. Por ahí está El Ministro. Así llaman las meseras a un hombre elegante, calvo, de unos cuarenta años de edad. Quién sabe qué clase de ministro será, piensa Demóstenes Cuarto al tomar un vaso con jugo de naranja y dos de manzana. Luego se sirve ensalada de alcachofas con espinacas, un poco de coles y zanahorias, algo de huevo con salchicha y unas rodajas de papa. Varios pedazos de queso y chorizo. A toda la comida rocía salsa Tabasco para que tenga buen sabor. Lleva el plato a la mesa. Enseguida va por pan. Elige tres bolillitos y dos piezas de pan dulce. Coge un vaso con leche. Camina lentamente para no derramar ésta. Reconoce a alguien a menos de cuatro metros. Lleva puestos unos lentes oscuros. Porta el atuendo chilango clásico: playera manga corta y short largo de boxeador y tenis choclo sin calcetas.

-¿Ya repuesto, paisano? ¿Listo para la de esta noche?

-Ah, señor. ¡Ni me recuerde! Ando bien crudelio. Me duele todo el cuerpo y la cabeza siento que va a explotar.

-Qué le podría recomendar para la cruda.

-¿Para la cruda realidad? Ya me apliqué la mejor receta: una helodia bien fría. Con eso la cruda me la va a pellizcar. ¡Con decirle que ya tengo hambre! Mucha hambre. ¿Y usted cómo anda?

-Cargando pilas.

- Oiga... véngase, aquí, con nosotros... siéntese, aquí.

-¡Qué pasó, qué pasó!

-Digo, sin albur señor. No lo tome a mal. Disculpe usted si lo ofendí.

Demóstenes Cuarto escucha con interés las peripecias de dos paisanos averiguadores. En dos horas regresan a la ciudad imperio de los IMECAS. Se van contentos por vivir tantos días de felicidad en la isla. Me cái: nos divertimos como nunca, dice uno. Chale, no se puede imaginar lo padre que la pasamos, toda la semana, con un chingo de viejas, la neta, agrega el otro. Hubiera visto: de mi cama se las pasaba, en triple salto mortal, a mi ñero. Y en capirucho de alta dificultad las cachaba yo. Me cái que eso me gustó de aquí: el san réven. Y de las nenorras, qué le puedo decir. A todas margaritas. Buenas. ¡Buenísimas! Y cómo les encanta que uno las invite a comer una rica langosta, y después se las reviente, mi buen. Es su vicio, su droga, supongo. Se la pasan en el trapecio columpiándose a todas horas. Con decirle que hasta en sueños tomamos mojitos. Y unas pedas que nos metíamos. ¡De almanaque, ñor! Por ésta, me cái. Pero, ¡aguas! que aquí la lana se va en un dos por tres. Si no la cuida uno se escurre de volada. Con decirle, aquí entre nos, que yo me quedé con diez dólares para pagar el taxi, de aquí al aeropuerto. Y yo con cien pesos mexicanos para cuando lleguemos al déefe.

-¡Se la pasaron bien!

-¡De peluche! Me cái. Ahora que lleguemos a la capirucha azteca vamos a chambear gruesísimo para hacer billetes y ahorrar y volver a este paraíso de perdición. ¡Esto es la pura vida! ¡Ya lo dijo mi carnal! Aquí hay para tocho morocho. Aquí uno se libera. Le da hilacha a la imaginación. Suelta uno las piernas y se deja llevar por la rumba y el sol. Bien livianos. Por la playa y la ciudá. Se va uno a la conquista de las nativas. Y de las fuereñas. Y ve uno negras y europeas, europeos y negros en el destrampe total. Todo el día. La neta, de eso deben estar orgullosos los nativos de esta hermosa república, me cái: por esta libertá que gozan: la única que tienen: la libertá sexual, que a placer ejercen, sin ningún pedo. ¿O no paisano?

-Así parece, jóvenes ¿Y de qué parte son ustedes?

-Yo del mero de efe. Y mi ñero del Estado de México. Del puritito Neza. ¿Y usted?

-¡De Yucatán!

-¿Y anda de paseo o vino a algún congreso internacional?

-Digamos que de paseo.

-¿Empresario?

-No, no. Digamos que ahorita estoy en el desempleo. Soy político ambientalista. ¿Y ustedes?

-¡Somos vendedores ambulantes!!

-Oigan, pues sí que deja su actividad.

-Algo... ¡no nos quejamos!

-A lo mejor pronto me dedico a vendedor.

-Si gusta lo asesoramos, aquí, bien chido, con un curso intensivo sobre mercadotecnia. Como los de Harvar o Yálet. Y lo llevamos con los líderes de nuestra zona, ahí en Tepis, para que no haya broncas. Y no haya líos profesionales con los demás vendedores. ¿Y qué vendería?

-Podría ser... ¡miel de abeja! Tengo un poco de experiencia. Hace tiempo la vendía. Cuando era estudiante. Precisamente en el de efe. Además del polen, el propóleo, la jalea real.

-¿Y qué tal le iba?

-Más o menos. Salía para los tlacoyos y el agua fresca.

-¿Y por qué dejó el negocio?

-Comprendí que aquello no era para mí. El negocio de la miel no era mío. Yo era un chalán simplemente. Jamás conseguiría nada importante en ese camino porque, después lo entendí, soy pésimo para los negocios. Muchas veces ni le ganaba nada a la mercancía. La vendía al precio que me la daba el dueño, quien siempre me recomendaba duplicar el precio para que sí fuera negocio. Cuando yo me conformaba con ganarle un diez o quince por ciento. ¡Se imaginan! Y en ocasiones regalaba la miel a los niños de la calle.

-¡Entonces tronó el negocio!

-No exactamente. Más bien me fastidié. No me quería convertir en un comerciante hambriento, explotador del prójimo. ¡Y no lo digo por ustedes!

-No, no se fije.

-Estuve desempleado mucho tiempo. Hasta que un día me invitaron a dirigir un partido polaco en mi estado. El grucodi.

-¿Y qué tal le va en la polaca, paisano?

-Con muchos problemas. Ahora entenderán por qué vine a esta isla. Quiero distraerme, y escribir en un cuaderno de doscientas hojas, de los clásicos rayados, algunas anécdotas, de las más relevantes, de mi experiencia política, para que uno de mis hermanos, que es escritor, prepare una novela sobre mí. Le voy a entregar el material vivencial cuando regrese a nuestro país dentro de unas semanas. En estos momentos él anda de paseo en el Mediterráneo. En la isla de Ibiza.

-¿Y como para cuándo la tendrá lista, paisano? ¡Para conocer su historia!

-A lo mejor este año la publican.

-Mire, aquí está mi tarjeta. Mi número de celular y mi correo electrónico. Por si pone un negocito ambulante. Por si le podemos ayudar en algo. O para que cuando salga su libro nos dé el pitazo.

-¡Háblenos con toda confianza!

-Sí. Muchas gracias por su amabilidad.

-Disculpe que lo dejemos. ¡Tenemos que pelarnos ya! Porque si no, nos deja el pinche avión.

-¡Gusto en conocerlo!

-¡Les deseo buen viaje!

Demóstenes Primero revisa nuevamente las hojas escritas a máquina mecánica. Las únicas diez seleccionadas de las doscientas que apartara de unas seiscientas en total. Con ojos de severo crítico imparcial admite su escaso valor literario. Las rompe de un jalón. Suenan más interesantes las experiencias sensuales sensacionales vividas día tras día en la isla caribeña que la historia plasmada por su hermano periodista sobre su hermano político en un periódico hace unos meses. Basta de muestra el siguiente encuentro con ciertos personajes dignos de ser incluidos en la novela: El frenético frenesí corporal vivido junto a Hortensia y Consuelo durante el exclusivo cañonazo vespertino en el famoso Morro le agotaron la pólvora energética anatómica. El hambre y la sed debilitan su organismo. Comerá algún guiso típico del país cuanto antes para recuperar fuerzas. Por la calle penumbrosa perfila a su lado una pareja de negros tomados de la mano. ¡Caídos del cielo! Se presentan como los hermanos Hongulosongo y Magurabomba. Pasos adelante apartan los atléticos cuerpos juveniles. Si usted gusta lo podemos llevar a comer comida típica, sabrosa, bonita y barata en un lugar donde sólo nosotros conocemos. ¡Perfecto! Precisamente en eso venía pensando. Hongulosongo viste pantalón y playera blancos y zapatos negros; Magurabomba pans y tenis blancos y leotardo rojo, y usa lentes transparentes. Demóstenes Tercero acepta la invitación con agrado. Si gusta también le podemos vender una caja de puros: buenos, bonitos y baratos, dice Magura. Hongulo trabaja en la fábrica. Pero no tengas desconfianza, chico, exclama él. No te va a pasar nada por acá. Nosotro te cuidamo. Tú sabes: esta es la ciudá más segura del mundo. Aquí por robarte tu cartera son cinco año de prisión. Y por agredir a un turista... ¡qué cosa chico!... ¡podría ser fusilamiento! Aquí se cuida mucho a los turista. ¡Ya tú sabrás! Son nuestro hermanos. Y más, quiero que tú sepas, los méjis. ¡Qué tú quieres primero! ¿Cómer o que vayamo a la casa pa que veas los puro? A veinte dólare te dejo la caja, chico, son Montecristo, de los que fuma el comandante, hechos a mano, legítimo, para que lleves de recueldo a tu país, para que los regales, de ésto nomá hay aquí, en ninguna otra parte del mundo. ¿Qué dices, chico? ¿Que vayamo a comer? ¿Prefieres tú ir a comer? Bueno, te vamo a llevar. No está lejos de aquí. Y si tú ya quieres después vamo a la casa. Entran en un edificio semejante a los tantos vistos por Demóstenes Tercero, estilo arquitectónico de los cincuenta, cuyos acabados avejentados no parecen recibir nunca mantenimiento. En el piso de arriba está el restaurante. Se sientan a la mesa más cercana. Demóstenes Tercero revisa la carta, los precios en dólares, no en pesos isleños. ¡Qué pasó! ¿Le quieren tomar el pelo? Duda en pedir porque no le va a alcanzar para pagar el consumo de los tres. Por mí no te pleocupes, invítala a comel a ella, dice Hongulosongo. Pide pala ella una lica langosta. Yo sólo quielo una celveza. ¡Piden tres bebidas mareadoras! Brindan. ¡Por Méji, por Cu! Ordenan una sola comida para Magurabomba. Tasajo de arroz con papas fritas, vianda y ensalada. Qué lica langosta ni qué rica langosta. Ah, y un postre para Demóstenes Tercero. Ante el abundante platillo, ella le convida la mitad. A un lado, en una mesa grande, doce personas, entre nativos y extranjeros, tal vez escandinavos, charlan alegremente. Concluido el rito de alimentarse civilizadamente se enfilan rumbo a la casa de Hongulosongo y Magurabomba al compás monocorde de unas leves gotas de agua diluidas en sus caras. Ante la amenaza de un persuasivo chubasco Demóstenes Tercero pospone la visita.

Queda con ella, chico, no hay problema, dice el joven. Pa que te lleve a paseal, homble. ¡A conocel la ciudad puelto! Pa que salgan mañana, chico, a dal la vuelta. Pa que no esté tú encelado en el hotel todo el día. Venga. Dile. Sin temó. ¿A qué hola quieres tú que pase por ti al hotel?, pregunta ella. Este... bueno... que te parece si nos vemos a las cinco de la tarde. ¡A esa hora paso por ti! ¡Te voy a esperar afuera! Ah, chico. A ver si quiere tú ir con nosotro a una escursión a Guamá. ¡Donde existe un criadero de cocodrilos! Me parece una buena idea. ¡Eso me interesa! ¿Cuándo será el viaje? ¡El domingo! Saldremos muy temprano pa volvé de noche. Ah, pero hay que pagar lo del viaje antes. ¡Cuesta diez dólare! Cuando nos veamos mañana, ¿no? Bueno, chico, chao, chao.

Demóstenes Tercero calcula la hora guiándose por el bullicio aletargado de las calles. Exactamente las nueve con quince minutos de la noche. Unas cuadras antes de entrar en el hotel Habanera Libre le hablan dos jóvenes.

-¡Qué pasó Méji! ¿Conociendo la isla?

-Desde luego.

-¿Y qué tal? ¿Disfrutando mucho?

-Sí, sí. Muy a gusto.

-Nosotros tenemos amigos en su país. En Monterrey, Guadalajara, Distrito Federal, Veracruz, Cancún, Chetumal, Mérida.

-Que bueno... ¡Los felicito!

-Pero qué tú no quieres hablar, chico. ¿Por qué caminas tan de prisa? ¿Estás enojao?

-¿Qué es lo que tú quieres, chico?

-¡No te comunicas!

-¿Quieres una chica... una negra?

-¡No, no, gracias!

-O una rubia... una güera.

-Porque a los méjis les gustan las güeras, las rubias.

-¡Les agradezco su atención! ¡Pero no! ¡Es el mismo cuento de siempre!

-¿Pero cuál cuento chico? ¿De qué cuento tú hablas?

-¿Por qué tú te molestas?

-¡La mayoría de las viejas cobran!

-¿Pero qué? ¿Tú quieres una que no cobre?

-¡Como en otros países! Donde si tú le caes bien a una mujer, bueno, salen a pasear, a dar la vuelta, a comer o a cenar, y la llevas a bailar y luego...

-¡A disfrutar el paraíso carnal, chico!, como dicen en tu país.

-¡Ándale! O por el contrario, como es costumbre en Europa, una bonita costumbre en los países más desarrollados de la Tierra, allá las mujeres te invitan y te pagan todo.

-Bueno, es que tú ya sabrás, aquí, en esta isla paraíso, la cosa es muy diferente. Si las chicas te piden algunos dólares, déjame decirte, es como una ayuda, chico, como un apoyo. No lo tomes como otra cosa.

-¡Ya tú sabrás que aquí hay muchas necesidades!

-¡Si te piden dinero es por una necesidad! Muchas son madres... necesitan dinero para mantener a sus hijos...

-Otras son jóvenes estudiantes...

-¡Necesitan el dinero para pagar sus estudios!

-Pero... bueno, chico. Si tú no quieres una chica que te cobre nosotro te podemo presentar a una amiga estudiante en la facultad de Economía... o de Derecho… o de Sociología… o de Medicina… Tenemos un buen catálogo. Yo le voy a decir a la que escojas que no te pida ningún dólar. ¿¡Qué te parece!? Para que estés a gusto. Y te relajes. Y ya si tú quieres, si crees conveniente, nos das una propina a nosotros.

-Para que disfrutes de una auténtica hembra de la isla. ¡Sin presiones!

-Voy a pensarlo par de jóvenes.

-¡Ya ve tú! Si te animas, ve a la escuela. Nomás pregunta por el Rogin. Todos me conocen ahí. Escuela de Economía. Por la mañana. Pregunta por los de cuarto. Ahí tú me encuentras.

-¡Órale! Así quedamos cuates.

-¡Sale amigo!

-¡Que les vaya bien!

Demóstenes Primero sube al cuarto cansadísimo, sin saber por qué, si esta mañana tarde sólo dio un paseo por el parque más cercano. Se avienta sobre la cama. Antes de quedar dormido recibe una llamada telefónica. Es la Cabellera de Berenice. Quiere verlo para que le cuente otro cuento sabroso, picante como el de la otra noche. Está dispuesta a hacerle una rebajita porque le gustó mucho lo profundo de su relato: denso, cautivante, placentero, calientico. Por ser para ti: en veinte dólares la hora. ¡Ándale, chico! ¡Aprovecha la oferta! ¡La verdad no puedo! Tengo mucho trabajo. Otro día mejor. Mañana si quieres. Bueno, ya te hablaré precioso, descansa. Está muy ocupado escribiendo las impresiones de la jornada, precisamente la extraordinaria vivencia con la cabellera medieval de hace unos días, cuyos dedos tibios, blanditos, suavecitos de princesa, lo toman de la mano en la oscuridad del castillo edificio.

-Veenn, chiiicoooo. Tooodooo eesstááá aarregladdooo.

Lo hace volar por un pasillo muralla con las antorchas y candiles apagados a los lados, y luego por otro en iguales condiciones oscuras, hasta cruzar una cortina de luz amarilla enceguecedora.

-No te preocupes. Aquí estás seguro. No te pasa nada, hombre. Mi papá ya está dormido. ¡Bien dormido!

Repentinamente aparece un señor en pantuflas, de playera y short. ¡Qué dormido ni qué dormido! ¡Será sonámbulo su padre!

-Ah, ¡él es… mi tío!

-Ah, qué tal señor. ¿Cómo le va?

-Aquí nomás. Pero pásele. Sin ninguna pena. ¡Caballero!

El señor, medio sonámbulo en efecto, se mete a una como cocina rectangular estrecha. La mujer lo jala del brazo hacia la recámara. Los muebles pintorescos y acabados rococó de paredes y techo evocan películas de los años cincuenta y sesenta del cine mexicano. Demóstenes Primero tiene la sensación de estar actuando en una escena de aquella época junto a las entonces jóvenes preciosas Marga López, Ninón Sevilla, Lilia Prado, Sarita Montiel o Silvia Pinal. Se acerca a la hermosa isleña para darle la bolsa con el regalo. Ella le da un beso en la boca demostrándole su agradecimiento por el shampoo contra la caspa.

-Voy a pagar la luz, ¿eh chico? Para que no llame la atención de los policías. Y mejor abrimos un poquitico la ventana, eso es, para que la luz tenue de la calle nos alumbre un poco los cuerpos.

-Así está más romántico, preciosa.

Se quitan la ropa al son de una música que llega del otro lado de la puerta... *Así es la Cubita la bella... una guajira amorosa... así es mi Cuba... ritmo romance y canción... la esmeralda del Caribe... la reina de la rumba... Cuba es así...*

-Oye, chico, disculpa, me da pena decirte esto, la verdad, te lo digo sinceramente, a mí me excita mucho que me cuenten un cuento cuando hago el amor. ¿Te sabes alguno?

-Ummm. Sea de tu completo agrado éste. Te lo ofrendo con mucha ternura. ¡Acomódate bien debajo de las sábanas! Súbete ya. Graba este relato en lo más profundo de tu conciencia. Sí, sí. Esta era una vez una jovencita costeña del Pacífico mexicano. Ohhm. Ya noto avasalladora la voz narrativa. La tarde veraniega inflamaba los poros de la piel con un calor picante. A esa hora ni alma que testificara en la vecindad la tragedia ocurrida. Así, así, chico. Ella había salido de su departamento a robarle agua a la vecina del departamento A, cuya llave estaba al pie del pequeño jardín. Así, chico mío, ya crece la verdadera historia con mucha fuerza expresiva. Tres enormes perros pastor inglés, dentro de un corral cuadrangular, propiedad del vecino del D, la estaban espiando desde el comienzo del discreto hurto. En el décimo viaje los animales derribaron la malla ciclónica. La muchacha gritando enloquecida tiró los dos baldes con agua y corrió hacia la puerta de la calle. A medio patio la alcanzaron los caninos babeantes. La tumbaron sobre el pastito seco. Quizá tendrían mucha hambre. Sus dueños no les dejarían alimento desde las tres noches anteriores en que viajaran a la extraordinaria ciudad del Valle Anáhuac, a donde le iban a practicar un aborto a la mujer que resultó embarazada por su amante, pues ella engañaba a su marido, según, en desquite porque él andaba con otra mujer, supuestamente. Sí, sí, me excitan muchísimo los adulterios. Mmm. Al calor de la batalla la tierna hembra intentó zafarse de las moles peludas que le rompían el vestido, el brasier, el fondo, la pantaleta. Oh, oh. Ante su evidente derrota no opuso resistencia. Se puso dócil. Si los hubiera pateado, empujado o mordido no lo estaría contando, vecino. Me hubieran descuartizado. Me agaché calladita. Con mis rodillas dobladas en el piso me agarré la cabeza. En esa posición empezaron a lengüetearme. Por toda mi piel pegaban su lubricante tan tibio, caliente, pegajoso. Sus brochotas de a metro me restregaban la espalda, el cuello, las piernas sabrosamente. Mi pelo se confundía con el suyo. Y en una de esas se me trepa uno por detrás. Sí, sí, así dame duro, animal irracional, soy toda tuya. Algo ardiente raspaba por dentro bastante rico. Hasta lo más profundo de mi cuerpo. Mis ojos se me querían salir de tanto placer. Y estaba suda y suda. Sus pelotes y melenotas subían la temperatura de mi sangre. Los tres me hicieron lo mismo a su turno. Nunca imaginé algo tan enloquecedor. Yo nomás me puse flojita. No se fueran a enojar y entonces sí me mordieran. O me comieran viva. En la primera oportunidad me le volteé a uno porque quería gozar la veloz raspada deliciosa por delante. Abrí bien las piernas. Y órale perro caliente. Tómame, cómeme. Es toda tuya esta belleza tropical. Házmelo a tu gusto mi macho desconocido. Las narices olisquearon cada orificio de la tierna anatomía corporal; las lenguas lamieron cada rincón de piel lisita humana hasta hartarse y quedar entumidos los labios. Querían extraerle hasta las tripas. Qué comida ni qué comida para ellos, se echaban no un caldo sino todo un banquetazo. Hubiera visto sus carotas de perros hambrientos en brama con las lenguas de fuera con ganas de chupar y beber leche de hembra joven. Ojalá estuvieran aquí para calmar esta calentura que me acorrala desde hace años. ¡Ya estoy hirviendo! ¡Voy a explotar arriba de usted, señor! ¿Y usted? Ya casi mi preciosura. ¡Los dos en un solo destello señor! ¡Ahora mi niña!

Discretos golpecitos en la puerta sacuden la Cabellera de Berenice… mojada, tendida sobre el cuerpo sudoroso, palpitante de Demóstenes Primero, deseando otro y otro reparo, y otro y otro cuento... hasta el amanecer... Cuéntame otro, por favor, me excité como nunca en mi vida, chico. Eres un excelente narrador. Otro día, preciosura. El tiempo de la sublime experiencia carnal gozosa ha concluido por hoy, mi niña. Suspira emocionada, soñadora, agradecida con tamaño juglar extraordinario en proceso de relajamiento muscular. Ella, cariñosa, aún lo acaricia suavemente con la mano derecha. Háblame mañana al hotel para que te cuente otro, le susurra Demóstenes Primero. Sí, papito. Te contaré sobre unos chivos que arrinconaron a la misma jovencita en algún rincón de la Costa del Pacífico, en una huerta de mangos, debajo de una palmera rebosante de cocos, a la vista de unos burros prestos a atacar y participar también del agasajo suculento con su gruesonota lanza negra en ristre, según me confió ella cierta madrugada. Bueno, chico, ya no sigas que me emocionarás más. Yo te visito por la noche. ¿Estás en el Caprichoso, verdad? Sí. Pregunta por Demóstenes Primero. Así lo haré, mi rey.

Con la luz apagada se visten rápido y salen del cuarto. ¡Gracias por sus atenciones, señor!, dice Demóstenes Primero al tío o padre de la dama que está junto a un radio viendo dormilón su reloj de pulsera. Desde hace rato pasa de la medianoche, calcula el extranjero. La mujer lo acompaña hasta la puerta de la calle. Le explica cómo llegar al malecón. Se dan un salivazo sellador de corazones románticos con sabor a anhelo de verse muy pronto. Como a los diez minutos Demóstenes Primero transita a pocos metros del mar dormido. Éste arropa su alma con la respiración acompasada. Oye el golpeteo de su aliento sobre el muro de concreto. Lo mira acostado bajo la gigantesca sábana negra sin estrellas. Algunas voces revolotean en grupos de tres, cuatro, cinco personas estrechando vasos y botellas junto a la pequeña barda. Se abrazan y besan del mismo sexo entre las caricias húmedas, frescas, tibias del aire deslizándose por caras, brazos, espaldas, piernas morenas, negras, güeras.

La gente traza el lento andar de Demóstenes Primero sin el menor impulso de frenar sus pasos. De vez en cuando pasan algunos vehículos. Uno se detiene.

-¿Taxi, señor?

-¿Cuánto sería al Caprichoso?

-¡Diez dólares!

-Este... sabe qué... voy a caminar mejor. Le agradezco.

-Bueno... ¡le cobro ocho!

-De veras... Mejor voy a caminar. Gracias.

-¡Ya cómo usted diga, señor!

A cada esquina aparecen las siluetas de los uniformados de azul marino recargados en cada poste, bajo una pálida luz irradiada por las lámparas empañadas. Los mejor pagados del sistema comunista le ha dicho más de un ciudadano.

-¿Taxi, señor?, le pregunta un joven montado en una extraña bicicleta de tres llantas. Una adelante y dos atrás.

-¿Cuánto sería al Caprichoso?

-¡Le cobro ocho dólares!

-¿Es lo menos?

-Bueno, que sean cinco, señor.

Demóstenes Primero descansa todo el cuerpo. Sus pies ya se volvían de cemento sólido paso con paso. El asiento es de madera, forrado de trapo. Unas varillas rígidas soportan el techo de plástico.

-¿Conociendo la ciudad paraíso puerto de noche, señor? ¡Eso es bueno! Ya usted ha visto dónde se reúnen las lesbianas y homosexuales. Todos los que usted ve ahí, junto al muro, son, la verdad que sí. ¡De todas las edades hay!

-¿Y esta jovencita que va caminando? ¡Es una niña! ¡Una bebita!

-¡Va a trabajar señor!

-¿Cómo? ¿A estas horas? ¡Si son las dos de la madrugada! ¿En qué oficina trabajará? ¡Es una escuincle! ¡Véala! ¡Tendrá unos dieciséis años!

-¡Y eso qué, señor! Los chicos que la acompañan serán sus hermanos o algunos parientes. La van cuidando. Además, aquí no pasa nada. La ciudad es muy segura. Hay mucha vigilancia por las calles. Un policía en cada esquina. Y ya se sabe que existen cientos de cámaras de seguridad filmando las veinticuatro horas del día por cada rincón de avenida, calle, plaza, parque, sitio público. Nadie escapa a los ojos escrupulosamente vigilantes del Estado. Durante todo el año graban cada minuto de la vida pública. Y las leyes son implacables con los delincuentes.

-Oye, ¿y esta niña en qué trabajará?

-¡Ya usted imaginará! Anda buscando cliente. ¡Hombre o mujer! Da lo mismo. ¡No se asombre! ¡Esto es normal!

El bicitaxista tendrá unos veinticinco años de edad. Es negro. Usa lentes, short largo rojo, camiseta azul ajustada y tenis blancos. Comenta que es universitario y que tiene unos conocidos del Cerro de la Silla y de la Perla Tapatía.

Detiene la bicicleta de repente. Baja a revisar las llantas. Están un poco bajas. Sobre todo las traseras. Entonces se dirigen a una gasolinera, y por ahí a un local que tiene la luz prendida por cuya ventana se asoma un señor.

-Vengo por aire, zanca, dice el bicitaxista.

-Échale hombre. ¡Ya sabes cómo, joder!

Demóstenes Primero muy educado se baja para que inflen los tres zapatos de caucho sintético.

-¡Listo! Se puede subir, señor. ¿Cuánto le voy a deber, amigo?

-¡Cómo que me vas a deber, coño! Págame ahora mismo. Es un peso.

-Hombre, no te enfades. Fue un decir.

Por la calle, en una pendiente, pasean muchas mujeres exageradamente maquilladas, con ropas llamativas, zapatillas altas, encima de las aceras. El bicitaxista conduce cual imán hacia un bar. Afuera de éste detiene el andar ralentizado del transporte ecológico nada contaminador de la atmósfera del planeta. Tres jovencitas los rodean al instante.

-¡Qué es lo que usted busca! ¿A dónde nos quiere llevar, señor? ¡A donde usted diga!, ¡vamo!, meno a un hotel, que ahí no podemo entrar nosotra... Tenemo prohibido... Si usted quiere podemo alquilar una casa por veinte dólare la noche... Nosotra le cobramo treinta cada una... La vamo a pasar a gusto... ¡Ya usted verá! Y mañana nos invita a comer una rica langota.

-Déjenme pensarlo, ¿no? Aquí van a estar, ¿verdad?

-¡De una vez, chico! ¡Pa qué lo va a pensá tú! Conmigo, nomá, si no quiele con ninguna de ella. Anímate ya. Te voi a coblal meno... Nomá polque ele méji... Págame veinte dólale... ¡Es una glan ofelta, chico!

-¡Voy a pensarlo!

A una señal de la mano derecha de Demóstenes Primero el bicitaxista comienza a pedalear de pie. Las jovencitas se quedan mirando algo desilusionadas el arranque lentísimo del bicitaxi. Con qué esfuerzo el conductor pone en movimiento el vehículo, subiendo, bajando todo el peso del cuerpo en cada pedal alternativamente, entre ligeros pujidos.

-¿No le gustaron señor? ¡Son de lo mejor que hay a estas horas por aquí!

-¡Cómo no! Están muy bonitas y muy jovencitas. Lo que pasa es que de allá vengo. ¡De estar con una hermosa hembra! Cuando me encontraste, minutos antes, había salido de su casa.

-¡Ya pensaba yo!

-¿Te imaginas? A cada rato está uno…

-¡En el paraíso carnal!

-¡Exacto! Y por donde quiera brotan están flores tropicales. De todos aromas y colores. ¡Nombre! Que ni lo dejan cargar a uno la batería. Todo el santo día quieren estar encima de uno. Ya isleñas mamacitas, tranquilas.

-O sea que ha estado usted muy activo... por lo que oigo... ¿Y se ha acostao con una mujer negra? ¡Que esas son terribles señor!

-¡Unas caníbales! En la cama se lo quieren comer vivo. Son unas panteras. ¡Unas fieras! Mira joven, viene una patrulla.

-No se preocupe, señor. No pasa nada. Yo estoy legal. Tengo mi registro de bicitaxi. Ya usted ve, estoy en favor del uso de energías alternas. Ahora que está el severo racionamiento energético en el país sueño en que La Habana sea una ciudad más humana... sobre las ruedas... Por eso uso mi fuerza motriz que no contamina la naturaleza... ¡Mire, mire usted, esa chica bella!

-Está guapa la verdad. ¿Estará con el tipo ése?

-No creo. Se ve que él está con la negrita. ¿Me paro?

-Está bien. Oye, se parece a una novia que tuve. Una novia chilena.

-¿Qué hacemos señor? ¿La llamo?

La patrulla se estaciona más abajo, en la esquina. A la bicicleta viene el acompañante de las mujeres.

-¿Qué pasó hermano?, pregunta al bicitaxista.

-Nada, hombre. Que al señor le gustó su amiga. La de la blusa blanca. ¿Usted está con ella?

-No, no. Bueno, ella es una amiga. Pero ahora mismo quiero tirarme a la mulata. Y la otra me está fastidiando. No nos deja solos. ¿Si usted quiere se la presento, señor? Y ahí usted se arregla con ella. Se la lleva a donde quiera. Mira, chico. Viene la patrulla pa acá. ¡Anda tú! ¡Avanza! Y vira en la esquina, a la derecha. Nos vemos en la otra calle. A esta altura. Ahí estaré con las chicas.

-Venga. ¡Nos vemos entonces!

El bicitaxista dobla en la calle indicada. Sus pies, pegados a los pedales, dan vueltas a toda velocidad. Encuentran al hombre en el lugar convenido, a mitad de la calle en penumbra. Demóstenes Primero le paga al joven. Éste le proporciona una tarjeta con sus datos personales. Se retira deseándole mucha suerte en la presente noche y en todas las venideras vividas en la Isla de las Conquistas Amorosas Instantáneas. Por fin: después de varias horas de tanto esfuerzo mental, de soñar puras escenas eróticas junto a seductoras jovencitas, puedes abrir los ojos y levantarte deprisa. Enciendes todas las luces. Vas al baño. Te mojas la cara, la cabeza. Tomas agua fría. Aún no reconoces dónde estás. Saltas. Te pellizcas los brazos. Algo te jala con mucha fuerza hacia un sitio donde todo está oscuro. Abres el cuaderno de doscientas hojas. Intentas escribir sobre lo visto fugazmente de otras dimensiones espaciotemporales. El lapicero rueda por el piso. No puedes hilvanar una oración. Las formas ondulantes en llamas escapan por los resquicios de la oscuridad. Las lámparas de la habitación iluminan incandescentes todo tu cuerpo. Este eres tú. No puede ser un sueño. ¿O sólo estás soñando desde hace algunas horas? ¿Evocando múltiples vivencias experimentadas en la isla dentro de tu sueño? ¿Vivencias registradas en los últimos días por tus tres hermanos? ¿Dónde estás? ¿Dónde están ellos? ¿En Londres, París, Roma, Atenas, Bilbao o en

Madrid? ¿O es una pesadilla la experiencia onírica? Palpas tu pecho. El corazón está agitado. Tocas tu rostro. Estás vivo. ¡Sí! Estás completamente seguro. En una habitación. De un hotel. ¿Esto es un sueño? ¿O alguien me sueña? ¿Estoy fuera de mí? ¿De mi cuerpo? ¿Soy un simple personaje de alguna historia ficticia? ¿De una novela realista? ¿Surrealista? Necesitas sentir la cercanía humana, sentirte humano. Llamas a la operadora. Le preguntas su nombre. Ella extrañada, tal vez semidormida, te pregunta para qué quieres saberlo. Nada más, contestas. Dia-na Zu-ves-ka Flo-res, te dice. Le preguntas la hora, si tiene frío, si está sola. Quieres aniquilar los segundos con esa voz que te devuelve tu naturaleza humana en tanto se aleja la fuerza del mal apabullante. Ves el teléfono color marfil, las teclas de plástico, los números pintados de negro. Entretienes la mente, los sentidos. Preguntas otra vez la hora. Son las tres de la madrugada, señor, ya le dije. A esa voz agradable le pides de favor que te despierten a las nueve de la mañana. Le das las gracias por su gentileza y cuelgas. Tratas de leer un libro que está junto a la lámpara. No consigues estructurar ni una oración. Tus ojos se cierran en un segundo. No comprendes qué te pasa. No puedes evitarlo. Tus pensamientos se evaporan. Quieres recordar algo agradable pero no puedes. De un salto te pones de pie nuevamente. Vas otra vez al baño. Le abres a la regadera. Te metes debajo del chorro intenso. El agua está friísima. Abres los ojos por fin. Sales del baño. Te das cuenta de que tu cuerpo está tendido sobre la cama. No se ha movido para nada. Ni has hablado por teléfono con nadie. Tú cuerpo está bocarriba con los brazos en cruz. La otra cama está perfectamente tendida. Todo está en orden en el cuarto. Tus maletas cerradas. Corrida la cortina. Las luces apagadas. Quiero estar en el lado de la luz, Dios. Pervivir en el bien. Protégeme, ampárame. Luchas contra aquella fuerza que no se quiere ir. Aquella presencia circunda el cuarto, y los pasillos del hotel, y todo el edificio. Percibes su aliento fétido de azufre. Un ruido estruendoso sacude los ventanales. Suenan pasos por la habitación. Cierras la llave de la regadera. Sales del baño. Ves las camas vacías. Las sábanas por el suelo. El agua escurre sobre la alfombra. Te quedas estático. Ves cómo se agitan las cortinas. Algo ruge del otro lado. Te atrae. Quizá saltando por ahí vas a terminar con el tormento. Sólo así te podrás librar de la fuerza oscura. Caminas. Sientes frío. Se estremece tu cuerpo. Sabes que estás desnudo. Aún es de madrugada. Tienes las luces prendidas de la habitación. No, no estás en Europa, en alguna isla del Mediterráneo o del Peloponeso. Disfrutas unos días de vacaciones en una isla del continente americano. Las sábanas están dispersas en el suelo. Tus maletas abiertas. Reverbera el silencio absoluto. Escuchas tu respiración. Tu corazón bombear potente la sangre por todo el cuerpo. La paz vuelve a imperar en derredor. Estás dentro de ti. Tú ya eres tú. Has regresado a tu cuerpo. Te tocas la cara. Empuñas las manos, mueves las piernas. Vas al baño a secarte con una toalla. Vuelves a la cama. Te acuestas. Escuchas el timbre del teléfono. Suena insistente. Estiras el brazo. Levantas el auricular.

-Bueno... bueno..., timbra la voz de una mujer.

-Eesste... esstee... ¿quiiéén haablaa?

-¡Soy Consuelo, chico!

-Ah, sííí. ¡¿Quéé hooraa ees, diisscuulpaa?!

-Son las ocho y quince. Oye, chico, ¿qué tienes?

-Nada... nada... Estaba dormido… Con tu voz... ya vuelvo a la realidad.

-Está bueno. Oye chico, ayer te estuve llamando todo el día.

-Ah. Salí... salí a una excursión.

-¿A dónde tú fuiste?

-A un lugar que le llaman Guamá.

-Sí, sí, sé dónde queda.

-Donde crían cocodrilos.

-¡Ojalá te hubiera comido uno!

-Qué pasó... qué pasó. ¿Estás enojada, o qué?

-¡Oye, chico! Ayer me hiciste ir al hotel con mi hija adolescente. Te pasamo a buscar. Quería que la conocieras. Y tú no estabas.

-Bueno, no es mi culpa. Nunca quedé contigo. Nunca te dije que vinieras. No quedamos en nada.

-¿Y a qué hora regresaste?

-En la noche.

-¿Estás cansado?

-La verdad sí. Porque... porque... ¡nadé... nadé... y cabalgué mucho! Hubieras visto qué playas… qué mujeres.

-Bueno... ¡Te dejo descansar! Te hablo como a las dos de la tarde.

-Perfecto. Hasta luego.

-¿Ahora no me mandas un beso, chico?

-Recíbelo donde mejor se te acomode.

-Yo a ti te mando uno en los labios, mi amor Demóstenes Tercero.

-Adióóóss.

A los pocos minutos, apenas reconciliado el sueño, vuelve a sonar el teléfono.

-Hola... Soy Camalioca. ¿Me lecueldas?

-Sí, sí. Ya te reconocí mi Guyana. ¿Qué pasó?

-Aquí mi ley. Con gana de velte. ¿Y tú todavía dulmiendo?

-Oye, pues yo vine a esta isla a descansar. A levantarme a la hora que yo quiera.

-Ya, ya chico. No te enojes. Te llamo pa vel cómo está tú, si está bien.

-Sí, gracias. Aunque un poco cansadón por la cabalgada.

-Clalo...Clalo... Oye chico, y nos podemo vel al lato.

-¿Como a qué hora?

-A la hola que tú diga.

-¿Qué hora es ahorita?

-La ocho cualenta.

-Este... pues... cómo a las tres... si quieres.

-Yo quielo que tú venga a la casa. Quielo plesentalte a mi máma. A mi familia.

-Este... Bueno... ¿Qué número de teléfono tienes?

Demóstenes Tercero lo anota en el cuaderno que está junto a la lámpara.

-Bueno, mi Guyana. Te llamo a mediodía.

-Está bueno. ¡Chao, mi ley Ostenes Telselo!

Se levanta de la cama. Le sorprende el desorden del cuarto. Va a bañarse. Luego baja a desayunar. Regresa al cuarto. A las doce en punto llama por teléfono.

-Disculpe, ¿se encuentra Camarioca?

-No, no está. ¿Usté es su amigo meshicano?

-Sí, señora.

-Yo soy la amá de Camalioca. Muuucho guuusto. Ya me dijo esta niña que tiene un amigo muuuy guapo. Y yo lo quielo conocé ya, chico. Me muelo de gana. ¿Cuándo va a venil tú aquí a la cassa?

-Al rato... a lo mejor... señora.

-¿Está contento, veldá? ¡Te oigo chico!

-No tengo por qué estar triste, señora.

-Homble. Y má contento tú va a etá cuando conoca a esta negla. ¡Ya va a vel tú qué mujer soy yo!

-Gracias, señora. ¡Me dio gusto saludarla!

-Ahola que llegue la niña voy a decile que te llame, ¿eh?

-¡Hasta pronto!

-Adió mi ley. Bonito, chao.

A otro día, en la mañana, medio mareado por los efectos inexorables de las cervezas frías ingeridas por sus tres hermanos fiesteros, Demóstenes Primero los presiente en una isla del Mediterráneo. Tal vez en Ibiza, Mallorca, Marbella, Benidorm o Naxos. Rebotan en su cuerpo, cabeza, mente cada uno de sus pasos, pensamientos, acciones, sensaciones. Trata de acordarse de un compromiso para este día con alguna de las tantas mujeres conocidas en la fantástica balsa de tierra atlántica. Vuelve a captar claramente las vibraciones mentales de su hermano fotógrafo: Vamo pronto, chico, dice Magurabomba. A ver si todavía hay cupo. Pero faltan dos días para el viaje, contesta Demóstenes Tercero. No, no chico. La escursión es mañana. Me dijiste que era el domingo. Me equivoqué. Vamo, vamo a la casa. Caminan durante media hora por un laberinto de construcciones avejentadas. Por una calle estrecha pasan muchas personas montadas en bicicletas estilo chinas, iguales a las vistas por Demóstenes Tercero de adolescente en las películas de Bruce Lee.

Hongulosongo juega futbol con unos jóvenes, con una pelota de plástico rota. Saluda muy efusivo. ¡Qué pasó Mostenes! Entran los tres al pequeño edificio. Las escaleras angostas conducen al tercer piso. Lo hacen pasar a la sala donde hay un televisor y una videocasetera y una grabadora. Aparato nuevo que hemo comprao con lo ahorro, chico, dice Hongulosongo. Aquí, en esta casa vivimo ocho pelsonas, quielo que tu sepas. Hay tles pieza más, allá adentlo, como del tamaño de aquí. ¿Qué es lo que tú quieles, chico? ¿Oíl música cubana o vel una película? Elige un film. El joven enciende el ventilador que pende del techo. Bueno, chico, aquí te queda tú con Magulabomba. Voy abajo, a lesolvé uno asunto. Los deja solos. Quizás por la caminata o porque de verdad hace calor Demóstenes Tercero está empapado de sudor. Tiene ganas de quitarse la camisa y la demás ropa. Mira, chico, aquí está la caja de puros, reaparece Magurabomba. Para que de una vez te la lleves. Pero no tengo dinero aquí. No importa, chico, ahorita te acompaño a tu hotel para que saques veinte dólare. Y me la pagues. Toma. Es tuya. Llévatela.

De repente timbra el teléfono escandaloso. Demóstenes Tercero despierta sobresaltado. Estira el brazo derecho para contestar en un acto reflejo automático. Es Magurabomba. Se le durmió el gallo. Le da la dirección para que tome un taxi, ¡pero ya chico!, y llegue ¡ahora mismo! a donde está el camión porque si no lo deja. ¡Qué flojera levantarse a esta hora! ¡Son las cinco y media de la madrugada! Todavía está oscuro. Ha amanecido con mucho frío. Magurabomba y Hongulosongo están afuera del camión temblorosos. Sólo faltabas tú, dicen en coro. Suben rápido por la puerta delantera. En la parte de atrás del camión se acomodan ante varias inconformidades. Principalmente de un matrimonio mulato que espera de pie en el pasillo ocupar un asiento.

¡A ver, camaradas!, expresa el organizador del viaje. Ustedes me dijeron bien claro: nosotro somo unidos, organizaos, nunca causamo conflicto. Y yo no veo eso en este preciso momento aquí. ¡Qué pasa con ustedes! Yo necesito que me desocupen un asiento para que se puedan sentar los señores. Ellos con tiempo compraron sus boletos. Ellos tienen que ir cerca de sus hijos.

Los deben ir cuidando. ¡Entiendan! ¡Por favor! Yo fui muy claro ayer que me compraron los últimos boletos. Les dije que eran lugares separados. Así que yo sólo quiero, ¡en este momento!, que respeten ese acuerdo. ¡Y por mi madre que a la otra ya no se vuelve a repetir esta historia!

Nadie de las seis parejas de negros quiere ceder su asiento. Van acomodados en la parte trasera del camión con sus cosas y sus hijos entre las piernas. Voltean hacia las ventanillas del camión sin hacer caso a la solicitud del guía. Demóstenes Tercero va a lado de Magurabomba. Me voy adelante, por mí no hay problema, le comenta. Una mujer se levanta al mismo tiempo que él. Así queda solucionado el problema.

El guía respira satisfecho en medio del pasillo. Señora y señore: ahora mismo comienza la excursión, anuncia con voz de barítono. La número dié del año. Ojalá que regresemo con bien. Así como nos vamo. Todos junto, completicos. Que a nadie se lo vaya a comer un cocodrilo. Yo quiero decí, a todo ustede, que aquí traemo bolillos con queso, muy sabroso, y refresco hechos en el país, bien helao, helao. Pa cuando tengan hambre y sé. Sobre todo los niño. Ah, y una cosa, señora, jóvene, señore, niño. Por ningún motivo, óigase muy bien, repito, por ningún motivo, ensucien la guagua. Que mucho trabajo me cueta lavarla. Así que ya me oyeron. Toda la basura tírenla afuera, afuera, con mucha fuerza, durante el trayecto. Que no quiero ver ningún papelico dentro de la guagua. ¿Me oyeron? Bueno, le deseo felí viaje. Cuando quieran algo, háblenme. En orden, ¡por favor! Levanten la mano, uno por uno. ¡Sólo háblenme! Que yo iré a su lugare. Voy a ir sentao junto al chofer. Pa que no se duerma. ¡Porque uno nunca sabe qué pueda ocurrí! Me llamo Cañongo. ¡Pa serví a todo ustede!

A medida que el camión recorre con toda su potencia los kilómetros de asfalto, en medio de parajes verdosos, bajo el sol lagañoso elevándose gradualmente por el horizonte, con el viento caliente que entra por las ventanillas, se destapan las cervezas, los refrescos, los jugos, las cantimploras. *Oye, mira negra, cómo dice…* Los paseantes felices comen, mastican emparedados a ritmo de rumba... *Oye mira cómo baila, que la habanera llegó, señores...* Parejas de novios encaramelados van beso y beso ante la mirada escrutadora de la mayoría de los niños, y de los matrimonios jóvenes, y de las madres solteras o divorciadas o viudas. ¡Cuarenta pasajeros en total! Demóstenes Tercero perfila de reojo a su lado a una señora de ojos esmeraldas y piel güera que lleva a su pequeño hijo güero rubio de ojos azules en las piernas. ¡Huellas secretas infantiles dejadas por algún marino ruso desembarcado unos días en la isla caribeña hace dos lustros, de cierto submarino atómico de la entonces poderosa URSS! De igual modo, colige en este instante inspirador Demóstenes Primero: las tres mujeres bonitas del sueño, conocidas por Demóstenes Segundo en la realidad de este mundo días después de conocerlas oníricamente en el parque donde venden el helado tan especial, de veras, tienen el sello genético de otros ambientes planetarios: el arenoso dorado de las dunas del Medio Oriente pigmentado en la piel. Nada casuales devienen las resplandecientes superficies desérticas ondulando por sus cabelleras exuberantes, marco armonioso de sus pestañas en perenne oleaje y cejas tupidas de ébano barnizadas por el sol dorado abrasador. Esbeltas formas corporales diseñadas paso a paso por los soplidos ardientes del Sahara eterno. Oh Zaza, la de ojos aceitunados y cabellera rubia, la quisiera tener abrazada, sentadita sobre las piernas en este momento, Demóstenes Segundo. Y también Demóstenes Primero. Qué final aguarda el incipiente trato. Nunca hubo tal en la ensoñación. Al menos jamás pudo recordarlo Demóstenes Segundo. Por eso esta tarde noche busca descubrirlo. Al fundirse el mágico sueño con la realidad del mundo emergerá la verdad. Cada uno ha pedido cinco bolas de nieve perfectamente compactas. Servidas en una especie de pequeñas barcas de cristal combinadas de fresa y chocolate y vainilla. Zaza saca varios malvaviscos. Les da tres a todos. Demóstenes Segundo descubre, a cada cucharada en los labios, un sabor peculiar, tal vez por la leche utilizada. Nota claramente un sabor muy diferente del helado que venden en su país. Alrededor hay infinidad de familias banas. Los rostros de niños, jóvenes, adultos con la respectiva cuchara en los labios reflejan la felicidad absoluta por estar en Coppelia. Triunfo glorioso de su inalterable paciencia. A la media hora Demóstenes Segundo sale con los labios y la lengua entumidos. Manifestaciones corporales sentidas a la vez, seguramente, advierte apenado, por sus hermanos cuatrillizos: Demóstenes Tercero, Demóstenes Cuarto ¡y Demóstenes Primero! Donde quiera que estén en estos momentos. Cada uno en su particular aventura turística. Solos o acompañados por alguna lugareña. Toman un taxi particular. Van al Morro a presenciar la ceremonia del cañonazo de las nueve de la noche en punto. Un reguero de extranjeros y de banos inunda todo el sitio. En unos graderíos buscan un lugar para sentarse. La bahía respira somnolienta a sus espaldas. En la lejanía sobresalen como en un óleo renacentista los edificios grises de la ciudad capital encima de haces rojizoverdosos y manchas amarillentas meciéndose a lo largo de la larga franja costera, justo a la mitad del inmenso lienzo negro que se alza desde la superficie acuosa hasta el infinito. Todo mundo permanece en silencio. Demóstenes Segundo logra pulsar con el alma vibrante la respiración soñadora y el corazón romántico de las tres bellas mujeres, elegantemente vestidas, esmeradamente maquilladas, a sus dos lados. Un disparo atronador perfora el cielo, la luna, las constelaciones. Miríadas de aplausos lo evaporan en segundos por la densa noche. Fin de la ceremonia. Desbordan ríos de nativos, de extranjeros hacia la salida del lugar con pinta de castillo medieval. El taxista, afuera, fuma un cigarrillo, al pie del volante, plácidamente, dentro de su Ford 1950. Los lleva al Cristo, uno parecido al de Brasil, pero de menor tamaño. La bahía continúa dormilona bajo la impenetrable oscuridad estrellada. Gente sentada en un muro de cemento, a los pies del manso mar, está absorta ante la panorámica nocturna única. Demóstenes Segundo, escoltado por las atractivas mujeres, entra en un restaurante que deslumbra con sus luces neón. Compran refrescos y emparedados... *Maní maní maní maní maní...* Parejas de nativos con extranjeras bailan rumba... *esta noche no voy a poder dormir...* Alegres... *sin poder comer tu cucurucho de maní...* risueños... *cuando la tarde sola está la cera de mi corazón...* bebiendo cerveza... *Mee vooy mee voooy... ¡Yaa, sse vaa, eel caarnicero! ¡Yaa, sse vaa, eel caarnicero!* Son las once de la noche. Aún tenemos tiempo para lo que ya tú quieras, Demos, dice Zaza. Imelda sugiere ir a una discoteque. Demóstenes Segundo acepta la original y oportuna propuesta. Se trasladan al sitio de baile. Tres parejas desperdigadas en la penumbra ensombrecen el estado anímico de todos. Durante una hora oyen, algo cabizbajos, bostezantes, cansino, merengue, salsa, rumba y guaguancó. Ni se les antoja bailar porque la pista está lúgubre, triste, deprimente. Mejor se retiran. Pasan a dejar a Demóstenes Segundo al hotel Habanera Libre. Zaza lo invita a que conozca su casa mañana. Por la tarde chico y después podemos visitar algún otro lugar. Complacido queda de acuerdo. Luego, discretamente, con una sonrisa que no oculta su felicidad, paga al taxista quince dólares por el servicio y le pide pasar por él a las seis de la tarde de mañana.

El sol titila algo pálido, casi borrado del cielo del mediodía por unas tupidas nubes grisáceas. Secuela del frente frío que afecta al país desde ayer, infiere Demóstenes Tercero con criterio de meteorólogo, y con una extraña estela de cansancio, desvelo, falta de sueño inexplicable. Por fin llegan los alegres excursionistas a la Ciénega de Zapata. Bajan del autobús uno a uno. Les dan quince minutos para subir al barco que los llevará a una pequeña isla virgen. Demóstenes Tercero, realmente intrigado, pensando cómo será una isla virgen, se dirige a la entrada con otros paseantes. Alguien lo toma del brazo derecho con mucha fuerza para detenerlo. Debes pagar diez dólares por el traslado, oye la voz conocida de una mujer. ¡Sorpresa! Y no los cinco pesos cubanos que cobran a los nacionales, concluye Demóstenes Tercero rápidamente. Un dólar equivale a veinte pesos isleños. Así que voy a pagar doscientos pesos isleños para poder viajar en el barco. Todo por ser turista. ¡Alguien ha chivateado! ¡Alguien ha rajado leña! Magurabomba sospecha del guía. ¡Ese desgraciado del guía!, grita ella. ¡Ese mentado Cañongo! Demóstenes Tercero paga de inmediato para que no se complique el viaje. Y pregunta a los empleados si a la salida ya no se paga nada. ¡No, señor!, contesta uno. El pago cubre la salida también, agrega el otro. Magurabomba va bien encabronada. Ni disfruta del paisaje. Ni voltea a admirar el corredor de agua cultivadora de vida que los lleva a una apartada porción de tierra donde recorren una zona abundante de vegetación exótica. Ni aprecia las estupendas esculturas pardorrojizas de mujeres, niños y hombres, jugando pelota y cocinando, hechas de bambú, finamente laqueadas. Escenas de convivencias familiares pacíficas; muestra fiel de la fabulosa cultura prehispánica asentada en tal balsa de tierra, flotante en la inmensidad del océano Atlántico, antes de la aparición de los invasores europeos. ¡Oh! ¡Esto es conocimiento! ¡Historia recreada al aire libre! Y a Magurabomba le vale un cacahuate la antropología social, la paleontología, la geología, la formación de los continentes y el surgimiento de las islas debido a poderosas erupciones volcánicas, la historia del siglo XVI y de todos los siglos. Qué conocimiento ni qué historia. Ni la misma realidad histórica del planeta llamado Tierra. Conocimiento de varias ciencias que Demóstenes Tercero está dispuesto a compartirle gradualmente, desinteresadamente durante la tarde con aires vaporosos de fuego. A ella sólo le interesa discutir en ese momento con Hongulosongo. Ya tú viste, en la guagua vienen otros cinco turistas extranjeros. Pero a ellos no les dijeron nada. ¡Ya tú ves! ¡Esto es una injusticia! A nosotro sí nos cobran porque el méji viene con los negros. ¡Esto no se va a quedar así! ¿Me oíste? O nos devuelven los diez dólare o les cobran a los otros o la guagua no se va. ¡Por mi madre! ¡Verdad mía que así será! Al regreso del viaje en la embarcación se riega el bululú por el lugar. Magurabomba encara al boletero. ¡Esto es un abuso, señor! Por qué nomás le cobran al méji. ¡Que es mi esposo! ¡Quiero que usted sepa! Viene conmigo. De paseo con su mujer. Él es un fotógrafo profesional. Viene a retratar los paisajes más espectaculares de esta parte virgen de nuestra nación. Las fotos las va a publicar en la famosa revista internacional Nachional Yeografic. Por qué no cobran a los otros extranjeros. Los gritos llaman la atención de muchos turistas que bajan en esos instantes de autobuses Cubanacan. El boletero sale al corredor, ya no soporta los gritos agudos de Magurabomba. Llama al chofer del camión procedente de la ciudad capital del país. Éste se pone colorado al saber de la protesta de uno de sus pasajeros. Enseguida aparece el administrador del local a sentenciar la única solución: ¡esa guagua no se va de aquí si no resuelven el problema ahora mismo! ¡El guía que resuelva, que él lo provocó!, grita Magurabomba. ¡Baje la voz, señora!, le solicita el guía con su voz de barítono, todo colorado como camarón. Y póngale un tono grave, está muy aguda. ¡Que no me da la gana, coño! ¡Este es el guía, señores, véanlo, conózcanlo, se llama Cañongo! ¡Este señor es un conflictivo! ¡Y habla con voz de cantante barítono! En un segundo la mujer se transforma en una fiera. Grita con voz de mezzosoprano de un lado a otro sin ninguna pena señalando a Cañongo. ¡Es un estafador! ¡Un discriminador! ¡Un racista! ¡Señora, por favor, no grite, no diga nada! ¡Y me quiere callar el misógino! Ella pretende que todo el mundo se entere de la injusticia hecha a su esposo. El guía está rojísimo a segundos de reventar de vergüenza. Los turistas recién llegados no saben qué está pasando. Ante los gestos, y señas, y desplazamientos tan extraños de los negros formando un enorme círculo, toman, toman fotos, muchas fotos. Imágenes que seguramente publicarán no en revistas famosas internacionales sino que colocarán en los álbumes familiares. Tal vez eso es parte de un ritual ancestral para darles la bienvenida. Aprovechándose de la confusión los extranjeros que viajan de incógnitos en la guagua, se esconden, discretamente, tras de sus amigos y amigas mulatos nativos del país. No desean ser retratados. Son tres mujeres y dos hombres: ellas pueden ser argentinas o chilenas; ellos anglosajones. Si te preguntan, tú di que eres mi esposo, ¿eh?, chico, le dice quedito Magurabomba al oído de Demóstenes Tercero. Que ya llevamo dos años de casaos. Que vivimo muy felices en La Habana. ¡Es mejor decir la verdad!, le sugiere a su oreja izquierda. ¡A mí siempre me funciona! Hombre, entonce, mejor calla. ¡Que esto lo resuelvo yo! ¡Ahora mismo! El guía charla nervioso, sudoroso, tembloroso con el administrador transmutado en una estatua incrédula ante tanta explicación enredadora, al centro de la rueda que achican sus colaboradores cuchicheantes, ávidos de testificar los hechos tan espectaculares en primera fila. Quizá deliberan sobre la más sabia y pronta solución al incipiente conflicto. Algo nunca acontecido durante lustros en la historia turística del país. No desean que la inconformidad debida palpablemente a una injusticia de discriminación racial se extienda a otras regiones de provincia. Sea motivo de instantáneas adhesiones de jóvenes, mujeres, hombres que empollan entre piernas y brazos desde hace años, de cabo a cabo en toda la isla, los deseos de libertad, de verdaderos progresos en cada parcela de tierra. ¡Sea la mecha que encienda la Revolución contra la Revolución! ¡Ni lo mande San Fidelio! Vaya a llegar este escándalo a los inmaculados oídos del comandante supremo Cástulo. ¡El inicio de una insurrección! Todo por una negra gritona, calenturienta. ¡Esto lo soluciono ya! Sentencia el administrador. ¡La verdad te hará libre!, exacto, dice Demóstenes Tercero al leer la frase del poeta José Martí en una vitrina. ¡Es una regla de oro, por supuesto, guía para toda la vida de cualquier ciudadano del mundo! Llaman a Magurabomba. Ella se mete unos segundos en la ondulante rueda humana. Luego salta gritando. ¡No qué no! Vean ustede señore. Me han devuelto los dié dólare. ¡Por fin se hace justicia en este país, coño! Los extranjeros no pierden la oportunidad de retratar a esa mujer con el brazo levantado y un billete verde en la mano. Demóstenes Tercero avanza, discretón, poco a poquito, hacia el criadero de cocodrilos. Se aparta de la multitud. Que no lo vean con la mujer en ese momento. Le vayan a tomar fotos junto a ella. En la entrada, donde un hombre de pantalón negro y playera roja, con sombrero, sostiene un lagarto de un metro de largo, lo alcanza Magurabomba triunfadora. Mira, chico. Aquí está el dinero. ¡Los dié dólare! Pero, tú sabe, voy a comprale algo a mihijo con este billete. Voy a llevale un recueldo de la esculsión. Está bien, adelante, le dice Demóstenes Tercero. A partir de ese momento ya no le sabe nada agradable el paseo. Él ve a los cocodrilos, dentro de unos pantanos, como muertos, tendidos al sol, sin mover un solo milímetro los párpados rugosos. Parecen troncos secos achatados. Ni se inmutan ante la presencia de otras especies de seres vivos con facultad de movimiento inteligente. Les vale un comino que los visiten y vean con tanta curiosidad milimétrica, tomándoles fotos en todos los ángulos posibles. Ni bostezan los ingratos. Ni parpadean siquiera. Demóstenes Tercero regresa al camión. Sube por la puerta de adelante. Los negros lo hacen por la de en medio. Los neumáticos ruedan sobre algunos tramos pedregosos a regular velocidad. El taxista particular con su Ford 1950 color gris, puntual, a las seis de la tarde, traslada a Demóstenes Segundo a casa de Zaza, situada en las orillas de la ciudad, por el rumbo de la Villa Olímpica. Vive en un edificio de cinco pisos. Estacionado el coche ella se asoma por arriba con Imelda. Ambas delatan su ansiedad por ver a Demóstenes Segundo mientras sube al tercer piso con ganas igualmente de verlas otra vez. En las escaleras está un viejecito sentado, engrasando unos zapatos. Ni contesta el saludo de buenas tardes, ni se inmuta con la aparición del visitante. Zaza, en cambio, lo recibe destellando alegría por cada poro de piel, y le patentiza su feliz estado anímico tronándole un sonoro beso en la mejilla. Imelda, para no verse opacada en el efusivo recibimiento, hace lo mismo, añadiendo un fuerte abrazo que le truena los propios huesos. Adentro, en la sala, Aída, aún más original y atrevida en la bienvenida, le da un ligero beso en los labios. De inmediato atraen los ojos de Demóstenes Segundo un televisor, modelo ruso, de acabados de madera algo amarillentos. A un lado una mesa de madera color blanca rodeada de cuatro sillas pintadas de café oscuro. El pelo mojado de Zaza y las sandalias de hule deslizadas parsimoniosamente sobre el piso opaco sugieren que recién ha salido del baño. Impulsa sutilmente a Demóstenes Segundo hacia el cuarto donde hay una cama esmeradamente tendida con sábanas limpias; al costado un tocador vistoso de espejo cuadrado con cosméticos: lápices labiales, frasco de pintura de uñas, loción, perfume, cepillo para el pelo. A un lado de la puerta un estante metálico con ropa doblada. Pasan a la cocina de un metro y medio de ancho por dos de largo. Cabe perfectamente la estufa modelo rusa que funciona con carbón. La pieza contigua es un baño, de idénticas proporciones, con regadera, taza y lavabo, piso, techo y paredes de cemento rugoso. La otra pieza, de la esquina, utilizada para los trebejos. No existe nada en su interior. Y para cerrar el rectángulo del departamento: la recámara de su mamá. Ahí duerme tranquilamente en ese momento.

-Ya se despertará con el ruido, dice Zaza. Ya te vendrá a saludar, para que la conozcas.

-Sí, está bien.

-Entonces... ¿qué hacemos? Quieres que nos quedemos aquí a conversar... Quieres que caminemos por la vecindad... O vamos a seguir conociendo la capital.

-Lo que ustedes digan. Por mí no hay ningún problema. Ustedes son las conocedoras de la Llave del Nuevo Mundo, como la llamó el autor de la novela *El siglo de las luces*. O la Ciudad de las Columnas.

-Bueno, está bien chico. Entonces me voy a terminar de arreglar. Ahora vuelvo. Ah, mira. ¡Ya se levantó la maestra! Te presento a mi mamá.

-Mucho gusto, señora.

-Igualmente. Disculpe el modo, pero me acabo de levantar.

-No se fije.

-Ahora regreso. Voy a lavarme la cara.

Demóstenes Segundo se queda con Imelda y Aída. A la luz delicada de la tarde lucen tan bellas como de noche. De ojos verdes ambas. De facciones muy finas. La madre y la hija mujersotas.

-Voy a ver a Zaza, dice la jovencita. Lleva puesto un vestido negro que ciñe delicadamente su figura esbelta, de cintura delgada y piernas armónicas esponjaditas. Quizá siente la mirada del varón acariciarle el tierno cuerpo al caminar y por eso más se balancea sintiendo cosquillas. El trópico sí tornea bien y a temprana edad a las hembras de por acá, infiere filosóficamente Demóstenes Segundo. ¡Ay, mi reina! No te muevas así porque despiertas las potencias hormonales del vigoroso cuerpo varonil.

-Ya es toda una mujer, ¿verdad Demós?

-Está perfecta, Aída. Tiene a quién heredar los atributos de diosa.

-Uy, gracias. Me sonrojo.

-¿Y tú cuántos años tienes?

-Treintaiocho.

-Te felicito. Estás estupendamente conservada. Eres a todas luces muy guapa.

-Gracias, Demós...

La adolescente regresa con una grabadora en los brazos. *Cuando pienso en ti yo siento que te estoy amando...* Deja el aparato sobre una silla… *Puedes ser que no seas tú...* Empieza a bailar provocativa… *pero es a ti a quien yo amo...* Demóstenes graba en su memoria profunda las involuciones carnosas con el revoloteo del vestido por encima de las rodillas que provoca la exclamación de Aída:

-Niña, que no te muevas así. Que tu vestido está muy corto. Se ve...

-¡Mamá! Que nadie me ve y quiero bailar un poco.

-¡Le encanta bailar!, comenta Aída ruborizada.

Imelda lleva puesta una chamarra amarilla que baja al girar en pequeños círculos, acoplando la cadencia musical a la suavidad del ritmo corporal. Por momentos descubre los esbeltos hombros, la suavecita espalda. ¿Con tal exhibición de su piel apetecible invita a Demóstenes a reconsiderar su inclinación por Zaza? ¿Con el baile sensual la niña se autopromueve? ¿Hace su presentación? ¿Muestra su solicitud, currículum vitae, diplomas, reconocimientos, títulos? ¿Alberga el anhelo sincero, sano, natural, urgente, de ser tomada en cuenta? ¿Como un producto de exportación hecho con excelentes materias primas? ¿En realidad únicas en el planeta? ¿Imelda, la niña de dieciséis años, ansía llamar la atención del macho? ¿Se apunta como posible pareja? ¡De una vez! ¿Avisa con esos movimientos sensuales de cadera que puede tomarla a partir de esta noche, o cuando él quiera, a la hora que sea, como novia, esposa o amante, o su mujer, su hembra? ¿Así de aventada la niña de dieciséis años? ¿A tal edad ya puede ser amada hasta por las orejas? ¿Con la complacencia de la madre? ¿Ella estará de acuerdo? Aída le sonríe de vez en cuando guiñándole el ojo. ¿O acaso la madre espera su turno? ¿También se anotará a la lista de candidatas? ¿Paciente aguarda la mejor oportunidad para airear sus encantos? ¿Esta misma noche? ¿Quién cortejará a quién? ¿Y a quién de las tres escogerá finalmente el extranjero? ¿Algo calenturiento? ¿Las mujeres de la isla causan su intensa temperatura hormonal?

Salen a la pequeña sala Zaza y su mamá. Se despiden de la señora. Irán a cenar a un restaurante. El taxista los lleva a El Palenque. En Reparto Siboney. Un sitio muy pacífico en una zona muy tranquila, aseguran las anfitrionas. Zaza, Aída y Demóstenes piden para comer un lechón asado con arroz moro, vianda y ensalada. Y para tomar jugo de naranja. Imelda una pizza napolitana y una tropicola. La famosa langosta la dejamos para otra ocasión, si fuera posible, Demos, dice Zaza. Por supuesto, contesta el embelesado turista.

Satisfechos los estómagos de cada cual, según confesión propia, van a la Marina Hemingway. Por un sendero meticulosamente empedrado deslizan las sólidas siluetas con lentitud, bajo una borrosa luna. Aída con Zaza unos diez metros adelante de Imelda y Demóstenes Segundo. De las construcciones del lado izquierdo les llega el resplandor de las tiendas cerradas. A su derecha balandras y yates de diversos tamaños se mecen noctámbulos a cadencia de la respiración del mar apacible. Ni una sola alma pasea a estas horas. Las sombras del silencio los acompañan en su aletargado recorrido que desemboca en el muelle. Aquí el agua golpe tras golpe hace crujir las estructuras metálicas y de madera junto al muro de cemento. El cielo enlutado vislumbra con sus millares de ojos a los solitarios humanos marcar las huellas de sus zapatos en sentido inverso. Zaza no deja de voltear a ver qué hace la pareja ocasional de la jovencita Imelda y el adulto Demóstenes Segundo. Simula tender la vista hacia las tiendas. Desde las vitrinas aún iluminadas las playeras, artesanías, cerámicas, esculturas en bronce y de madera, los souveniers, les dicen adiós queridos paseantes nocturnos. Decenas de metros enfrente el letrero "Chachachá" atrae sus cuerpos. Entran al local sin poner a consideración de nadie tal decisión. Por el fresco que empieza a soplar fuerte pasan adentro. Se acomodan en torno de una mesa del centro. El grupo musical parecía esperarlos porque luego inicia a tocar. Serán sus atentos escuchas, además de los empleados del restaurante. Éstos obligadamente, no les queda otra alternativa, deduce Demóstenes Segundo, que sigue filosofando como Dios le da a entender.

-Ya veo que son estupendas anfitrionas, dice.

-Es verdad, contesta Zaza. Ayer te llevamos a una disco donde no hubo ambiente. Bueno chico, hemos corrido con muy mala suerte. Pero, espera, aquí acostumbra venir mucha gente. No sé qué pasa ahora que no viene.

Esta quinta interpretación ¡para el ciudadano de un país hermano! con todo nuestro respeto y admiración. Un bolero... de quién sabe qué época y autor... ¡Demóstenes Segundo nunca lo ha escuchado! El cantante, percatándose de lo tan pensativo del visitante, tan concentrado quizá en la melodía, en la letra, al terminar la interpretación va a ofrecerle un casete con canciones de su autoría. ¡En doce dólares, señor! Un poco más tarde, cuando ya nos vayamos, exclama Zaza. El cantante se retira con la cabeza agachada sin imaginar siquiera los motivos reales del profundo cavilar de Demóstenes Segundo. ¡Él sigue analizando con las vivencias de cada día la situación social económica del pueblo de la isla! Será un casete grabado por ellos mismos en su casa, sisea Zaza al oído de él. *Oye mira mi negra, oye mira cómo baila...* El ambiente muestra un rostro festivo con diez parejas bailando... *Yo quiero gozar...* A Imelda la invita a bailar un señor, quizá, canadiense. Se levanta con el consentimiento de su mamá... Demóstenes no quiere bailar rumba. No desea hacer el ridículo. Prefiere otro ritmo para mover todo el esqueleto con carne de una raza híbrida misteriosa. De pronto se desata un tremendo aguacero. Del tejado del restaurante cuelga una cortina de agua que ondula hacia las mesas mojando democráticamente a músicos, empleados y clientes, e instrumentos musicales. El viento entra con furia tirando copas, platos, manteles, sillas ante el desconcierto de todos. Más del viejo canadiense boquiabierto. ¡Oh, my God! ¡My new shoes! Se detiene la música y el baile. Optan en retirarse del concierto acuoso, amenizado con fuertes truenos en coro por el cielo. Elección acertada para las mujeres porque no quieren mojarse ni desvelarse. Hoy no quiero llegar tarde al trabajo otra vez, revela Aída. Ni yo a la escuela, agrega Imelda. Yo tampoco, refuerza Zaza. Cuando amaina la lluvia salen del restaurante rumbo al coche. Demóstenes se sienta en la parte de atrás entre Zaza e Imelda. Luego dejan atrás el chipichipi entre nubes negruzcas. Zaza va recargada al hombro izquierdo de Demóstenes Segundo. Imelda al derecho. Pasan a casa de Aída. Ojalá te volvemos a ver pronto, suspira ella al bajarse del taxi. Regresa pronto, añade Imelda con ojos acuosos. Madre e hija le truenan un beso cariñoso en los cachetes. Toca turno de llevar a Zaza. Ella ansía verlo mañana, antes de volver a su país. Le llamará a las seis de la tarde. Ya decidirán qué hacer: si ella va al hotel o él viene a su casa. Se pegan un parche suspirantemente romántico en los labios. Más tarde, el taxista deja a Demóstenes Segundo a unos metros del hotel no sin antes cobrarle treinta y cinco dólares por el servicio. Sube al cuarto algo cabizbajo. Sobre la cama está el cuaderno de apuntes abierto. Demóstenes Primero procura despejar la mente, despojarse de cualquier sentimiento anulador de su feliz pasividad. Reanuda la escritura lectura en la hoja pendiente: finalmente arriban a la playa virginal. El guía, todavía rojísimo de la vergüenza que le hicieron pasar ante tantos educados, distinguidos, respetuosos turistas extranjeros, y el chofer aún desconcertado, incrédulo, tratando de encontrar una explicación lógica al inusitado incidente, se quedan a cuidar la guagua. La mayoría camina hacia la parte izquierda por donde sobresalen construcciones de concreto de un solo nivel. Los negros lo hacen por el lado derecho. Demóstenes Tercero desplaza los pies detrás de ellos. Magurabomba discute otra vez con Hongulosongo. ¡Por qué nosotro siempre apalte! ¡Toda la vida! ¡Jodel! ¡Como neglos leploso! ¡Lejo de lo blanco y de lo moleno y de lo amalillo! ¡Ya cállate, coño! ¡Tú está loca! Ella se ve beoda. ¿Qué pasa, chico? ¡Dale, dale! Reta Magurabomba con la cara levantada. Entonces ella lanza una cachetada con todas sus fuerzas a Hongulosongo. Y otra y otra. Le revienta un labio. Sangra la boca varonil. Los demás negros miran callados, indiferentes, ajenos a tal escena. ¡Coño! ¡Hombre que se deja jineteá por una mujé, jamá se quita su espuela de encima! Estalla Hongulosongo al transformarse en un gorila macho alfa malherido. Con la mano izquierda agarra de los cabellos a Magurabomba y le da un puñetazo derecho certero que la hace sangrar de la nariz y la boca. La arrastra sobre la arena agarrándola de los pelos con la garra siniestra. Demóstenes Tercero no puede creerlo. Los demás nada hacen. Mudos, sólo observan en espera del desenlace. De un pleito más de pareja. Muy normal para ellos en apariencia. De esa pareja que avanza desenrollando un hilo rojo en la arena. Magurabomba logra zafarse de Hongulosongo. Corre rápido hacia unas casuchas ubicadas más adelante. Hongulosongo se precipita en sentido opuesto fuera de la playa, hacia la carretera. Por allá lo atrapan diez policías que estaban ocultos en algún lugar. Lo meten a una patrulla. Magurabomba va en el asiento delantero. Desaparece el coche por el asfalto a toda velocidad con la sirena vociferante encendida. Los demás negros, sentados sobre la suave arena, comen callados, contemplando el vaivén del mar, los centelleos de azul transparente sobre las crestas de su superficie, el cielo diáfano arriba, las nubes blanquísimas semejantes a islas flotantes, el sol eternamente luminoso en medio de ellas… como si nada hubiese acontecido y nada les preocupara… Tararean alguna melodía de sus antepasados más remotos... Yemayá... Aue bomga kò... auk bomga yum... alok aue goo bam... Con los últimos bocados tiran los restos de comida entre unas ceibas. Los hombres se dirigen hacia las casuchas por donde están los demás paseantes. Llevan a los adolescentes y a los niños para que jueguen y naden cerca de los blancos y mulatos. Las mujeres se quitan vestidos, pantalones, faldas. Lucen sus trajes de baño. Los colores verdes, amarillos, morados, rosas acentúan las proporciones carnosas femeninas de ébano. Chapalatean en la orilla de la playa. El agua cristalina refleja los brillos incandescentes del sol. Las seis negras de piel lustrosa hacen una pequeña tienda de campaña con mantas sujetas por sus fuertes brazos entre los guaniquís. La temperatura del ambiente sube escandalosamente en segundos. Una nube con destellos de luz dorada envuelve a Demóstenes Tercero: centro de las miradas caníbales de lava. De pie hierve a fuego intenso en el caldero de sus deseos más primitivos. Vuela su indumentaria al contacto de unas garras: sudadera, playera, pantalón, short, tenis, calcetas. Cae de espaldas sobre la cálida cama arenosa. Lenguas lubricantes como brochas se deslizan por toda su piel. Una pantera de complexión muy robusta se le monta por abajo del ombligo. Y luego otra, y otra, y otra. Galopan las bestias a desbordante alegría enloquecida en el corcel de una raza joven, enigmática, híbrida. Demóstenes Tercero deja las riendas de máxima excitación vaporosa en manos de tales musas terrenales. Mantiene los ojos cerrados al oír el aleteo del cabalgar sensual, frenético, suspirante de Calíope, Euterpe, Clío, Urania, Terpsícore, Erato sobre su cuerpo. Metamorfoseadas hace unos instantes en las anatomías humanas. Demóstenes Tercero, Demóstenes Cuarto, Demóstenes Segundo ¡y Demóstenes Primero!, sienten los apasionados relinchidos caricia a caricia de las volcánicas damiselas por toda la piel masculina, arropados sus espíritus en una atmósfera punzante de gloriosa felicidad estremecedora. Demóstenes Tercero rueda por la arena; exhausto, sudoroso. Demóstenes Cuarto por la alfombra azulosa del cuarto. El agua salada, relamiéndole su boca, obliga a Demóstenes Tercero a recobra la conciencia. Con los ojos lastimados por las claridades del sol busca a las explosivas, desinhibidas, aventadas féminas. Por ningún rincón de la extensa sábana granulosa vibran las figuras selváticas. Se viste ceremonioso, agradecido con la naturaleza y la playa por tamaño regalo paradisíaco divino de bienvenida. Va hacia el camión. Por ahí encuentra a la más joven de las fortuitas amantes. Ella le pregunta su nombre y el de su hotel. Se los da. Se llama Camarioca. Le lanza un beso cual dardo veloz a sus labios mientras camina de espaldas al mar, derritiendo el cuerpo de carbón en llamas entre la arena ardiente y el agua espumosa, tibia, bendita. Demóstenes Tercero sube al autobús. Acomodado en su asiento, junto a la ventanilla, espera la salida. Adolorido del cuerpo sin saber por qué exactamente, pues ni corrió por la playa, ni nadó nada, dormita un buen rato. Tan cansado va que no sabe cuándo se pone en marcha la guagua. Despierta cuando bajan los negros ya en la capital del país. Nadie de ellos se despide de él. En la siguiente parada se baja atolondrado, entumido, acalambrado. Detiene al primer taxi que encuentra; sea privado o particular, le da igual. Llega al hotel Habanera Libre, sube a la habitación rendido, sofocado, con ganas de dormir un día entero. Se quita la ropa y los tenis. Desnudo se avienta un clavado en la cama. Quiere nadar durante horas en las profundidades del inconsciente y no ser despertado por su hermano político o su hermano fotógrafo en las próximas diez horas. Seguramente cada uno duerme a estos momentos en su respectiva habitación.

A otro día, a las cinco en punto, Demóstenes Segundo está pendiente de la llamada telefónica amorosa. Pero no suena el teléfono. Pasa una hora y nada. Y otra y tampoco. Así dan las ocho de la noche. Entonces cree, resignado, algo triste, que ya no verá a Zaza. La mujer inspiradora de sus suspiros isleños. Baja a recepción para finiquitar sus llamadas locales. Después irá a comer y a cenar en una sola sentada; a gastarse los últimos diez dólares ahorrados. En el momento en que hace cuentas con la empleada del hotel se acuerda del comprobante del depósito para las llamadas dejado sobre la cama. Vaya de favor a su habitación, señor, sin el comprobante no puedo hacer el trámite. Está bien, voy ahora. Justo cuando abre la puerta del cuarto suena el teléfono. Es Zaza. Tuvo contratiempos para encontrar un teléfono de dónde llamarle. Y, después, Dios mío, tamaña cola para poder llamarte. ¿Qué hacemos chico? ¡Yo tengo ganas de verte! Yo quiero verte antes de que tú te vayas. Deseo conversar algo contigo, chico. ¡Mañana es imposible verte! Va a ser de madrugada. ¿Qué hacemos chico? Vienes o quieres tú que yo vaya hasta tu hotel. Mira, precisamente ahora que venía buscando una cabina de servicio de teléfono me encontré al taxista. ¿Quieres tú que me lleve a donde estás? ¡Sí, está bien! Tú no te preocupes, chico. Yo voy para allá. ¡Ahora mismo! En la entrada pide al custodio que te comunique a la habitación 608. Aquí te espero Zaza. Chao, besitos, Demós.

La joven aparece en el lobby del hotel como a los treinta minutos. Viste una falda de mezclilla azul y blusa blanca que deja al descubierto sus hombros. Con tales atuendos puede enseñarle las rodillas y piernas rosadas. ¡Le gritan aquí también hay candela, azúcar y café! Está sentada solemnemente en uno de los sillones acolchonados naranjas. ¡Aquí estoy chico! Demóstenes Segundo le da un beso en la mejilla. Se sienta a su lado. Tenía muchas ganas de verte. ¡De despedirte! ¿Tú me entiendes? Aunque no tengo nada que darte de recuerdo. ¡La verdad! No, no te preocupes, me llevo lo mejor de ti: tu mirada, tu sonrisa, tu voz. Aunque sea en mi memoria latente. Vamos afuera, le dice ella. Demóstenes Segundo le ayuda a ponerse de pie. Salen del hotel. El taxista espera calle arriba. Caminan hacia allá. Se detienen a unos metros del vehículo. Entonces Zaza, ¿podemos ser pareja? Parte el helado isleño Demóstenes Segundo. Pero tú no me conoces chico. Tres días es poco tiempo. A veces ni una vida entera alcanza para conocer a alguien. Además, yo no te conozco a ti. No sé quién eres, qué haces, a qué te dedicas. ¡Así como me conociste soy!, Zaza. Tal cual. Y ya te he dicho a lo que me dedico. Además, Demós, a lo mejor tú no te diste cuenta, pero yo soy muy celosa. ¡Por Dios que soy celosa! ¡Vi perfectamente cómo te veían mi prima y mi tía! ¡Te querían devorar a besos! No quiero engañarte, ni engañarme. ¡La verdad! No sé qué va a pasar conmigo en los próximos meses. Yo tenía un novio, quiero que tú sepas. Pero, de un día para otro, se fue de aquí. Me ha escrito algunas veces. Dice que está en España. Yo lo quería mucho, la verdad. Bueno, lo sigo queriendo. Lo extraño. Vivía con él. En una casa que tengo, mucho más chica que esa que tú viste ayer. Una casa pobrísima. Ahí viví con mi novio dos años. Y el día que se fue, hace seis meses, me pasé con mi mamá. Estoy de inquilina con ella. ¡Hay que dejarlo al tiempo, mejor, chico! ¡Tonterías! Por eso la naturaleza nos dotó de libre albedrío. No somos animales para dejarnos guiar por la inercia de los instintos. Tenemos poder de decisión, de movimiento racional, mental, espiritual. ¡No quisiera equivocarme, chico! Tampoco enamorarme, la verdad. Porque si me domina el corazón, ¡ay mi madre! me pierdo, me pierdo. ¡Y no sé de mí! Aunque es natural, chico, que busque a un hombre para hacer el sexo. Pero nada más. ¡Tómalo como un romance! Un bonito romance que viviste al final de tu viaje. Y quiero decirte, ¡que pase lo que pase!, tú tienes una amiga en este fantástico país. Ahora ya tienes una casa a dónde llegar. ¡Te la brindo de corazón! Y bueno, puedes estar seguro, que cuando vuelvas, tú vas a encontrar muchas chicas hermosas. Nunca te faltarán chicas bellas para divertirte con ellas. Sin que tú vayas a buscarlas a su casa ellas vendrán a tu hotel. ¡Ya verás! ¡Te lo digo yo! Porque si de verdad tú buscas a una mujer para casarte con ella, aquí la vas a encontrar a tu gusto. ¡Te lo aseguro yo! ¡Podrías ser tú Zaza! ¡Me complicarías la vida, chico! Puede ser peor para mí. Claro que pienso en una relación, pero fundada en el amor, no en el deseo. Nos faltó tiempo, chico, para conocernos más. ¡Un poquitico más! Hay que darle tiempo a nuestras vidas. Si nos volvemos a ver, chico, entonces quiere decir que la vida nos va a unir. ¡Seguro! ¡Esperemos mejor! O qué tal si me voy contigo en unos meses. ¿Y luego no resulta nuestra relación? ¡Que entremos en pleitos! Que tengamos problemas y me abandones. ¿Qué voy a hacer en un país donde no conozco a ninguna persona? ¡La verdad me da miedo! ¿Por qué piensas tal escenario catastrofista, apocalíptico, de fin de los tiempos humanos, Zaza? ¡No te haría eso! Bueno, chico. ¡Te voy a ser sincera! México no es el país a donde quisiera irme a vivir. Yo prefiero un país de Europa, uno del primer mundo, donde pueda desarrollar bien mi carrera profesional, donde pueda progresar como deseo. ¡Qué deshonra para la Revolución con tantas jineteras en las calles! ¡Explotando al turista extranjero siempre!, gesticula un señor de sombrero de palma que pasa por la acera. Lleva puesta una camiseta blanca con la imagen de un hombre greñudo con boina negra en la cabeza. El taxista, reclinado en el asiento del volante, se cubre la cara con una franela roja. ¡Está bien, Zaza! Demóstenes Segundo le da un beso en los labios. La abraza fuerte, tan fuerte, que hasta los tiernos huesos le truena. Bueno, chico, quiero que tú sepas, que me agradas mucho. Me siento muy a gusto contigo. ¡No digas más Zaza! Bueno, ahora que llegues a tu país tú escríbeme, por favor, para seguirnos tratando. Aquí te anoté, en este papel, la dirección electrónica de donde trabaja mi mamá. Ahí me puedes mandar mensajes. ¡Está bien! Sabes, Zaza, estoy sin dinero. No calculé bien los gastos. ¡Madre mía!, ¿y ahora cómo le hacemos para pagarle al taxista? Tú bien sabes que yo no tengo ningún peso nativo, y menos un dólar. No te preocupes, ahorita arreglo esto con él. Tú entra al coche. Zaza se reclina en el asiento de atrás. ¡Oye, cuate, me permites un momento!, dice Demóstenes Segundo al chofer. Sí, claro, contesta aquél apesadumbrado. Se apartan del carro. ¡Tú dirás, chico! ¿Cuánto va a hacer por el viaje, venida y vuelta, de la dama? ¡Bueno chico! Ya tú viste que vive muy lejos. Y bueno, yo me he portado bien con ustedes. Ya tú viste que ayer los traje parriba y pabajo. A donde ustedes me decían. Bueno... como ya son mis clientes... que sean... ¡veinte dólares! ¿Veinte dólares? ¿Se te hace mucho? ¡Algo exagerado, la verdad! Bueno, con la idea de que yo sea tu taxista exclusivo aquí, y me sigas contratando en tus recorridos, mañana, por ejemplo, si salen a dar la vuelta, que sean quince ¡y nii uun dóólaar mmeenoos! ¡Está bien, cuate! ¡Quiero comentarte algo más! Como estarás enterado, por la plática con las distinguidas damas, regreso mañana a mi país. Y la verdad me quedé sin dinero. Calculé mal mis reservas. No tengo ningún billete verde para pagar tu servicio. ¿Hombre chico? ¿Cómo me puede pasar esto a mí? ¡Pero chico, yo necesito que tú me pagues! ¡Necesito el dinero! No te inquietes, cuate, que puede escucharte el policía de la esquina. Bueno, está bien. Mira, aquí traigo abajo de mi camisa dos camisetas nuevas que había comprado para ir a la playa, pero nunca las utilicé. Me puse otras, que tengo en la maleta. ¿¡Pero chico!? ¡Yo quiero el dinero! Yo quiero que tú me entiendas. Necesito comer. ¡Puedes vender las playeras! Y ganar más dinero. ¡Más del doble! ¡Cada una me costó veinte dólares! Bueno, bueno, chico. Vamo al carro pa verlas. El taxista se acomoda frente al volante; Demóstenes Segundo atrás junto a Zaza. Saca las prendas que lleva dobladas debajo de la camisa. Mira ese men: ¡están nuevecitas! Hasta con la etiqueta puesta. Se ven de buena tela, expresa Zaza al tocar las camisetas, guiñándole el ojo izquierdo al taxista. ¡Y están gruesas! Son de calidad, mi cuate. La verdad, chico, que se ven bien. ¡Pueden ser tuyas carnal! ¡En este preciso momento! ¡Ya las tienes en tu mano! ¡No las dejes ir! Te aseguro que aquí no hay de éstas. ¡Aprovecha! ¡Es una ganga! Y huelen bien, chico, dice el taxista. Te estoy diciendo: son de excelente calidad y no despintan ni encogen. Y mira, marchante, de una vez, para que cerremos el trato, te voy a obsequiar, ¡completamente gratis! esta gorra que tampoco usé. ¡Está nuevecita! Eh, qué tal. ¡Ah, chico, eres mago o ilusionista o qué! ¡De dónde sacas tanto! ¡La gorra también está chévere! ¡Ya no lo pienses más! ¡Son todas tuyas! Gracias por el excelentísimo servicio de taxi. ¡Nos vemos Zaza! Chao, Demós, que tengas buen viaje. Éste cierra la puerta de lámina gruesa del histórico Ford 1950 y enfila los pasos hacia el hotel. ¡Fin del sueño!, expresa categórico Demóstenes Segundo. ¡Y de todos los deseos!, agrega suspirando filosófico Demóstenes Primero.

A las cinco y media de la madrugada suena el despertador. Es Duniesky. En quince minutos pasará por Demóstenes Tlalmanalco para llevarlo al aeropuerto. Éste, algo dormilón, se viste lo más rápido posible. Entra al baño a arreglarse. Luego mete todas sus cosas en las maletas. Convencido de no olvidar nada se dirige a la puerta. Al abrirla encuentra a la recamarera mulata de mirar seductor. Ella cierra la hoja de madera despacito, sin hacer ruido. Posa la mano derecha en el pecho de él. Lo empuja suavemente, obligándolo a soltar las maletas, a retroceder paso a paso, cara a cara, fregándose las narices. Ella se desabrocha con evidente maestría la bata, el vestido. Él cae de espaldas en la cama: novato, estupefacto, con la boca y las manos abiertas amortiguando unas enormes tetas. Un beso enmielado tapona sus labios sorprendidos. Siente dos plumas deletéreas desprenderle la camisa, el pantalón. La mujer desnuda empieza a jadear encima de él. Oye la respiración agitada de los dos cuerpos fundiéndose en uno solo dentro de un volcán en erupción, mientras baja presuroso al lobby abrochándose los botones de su camisa. Qué inolvidable manera de despedir en el hotel Caprichoso. ¡Qué caprichitos tan originales, románticos, irresistibles a fin de persuadir el retorno lo antes posible de los huéspedes!

Duniesky, con la cara seria, por vez primera, se muestra algo impaciente. Abordan rápido su histórico coche Datsun modelo 1970 color Ferrari. Hace un poco de frío. Pasan al hotel Marosa por un matrimonio de méjis, con quienes arriban minutos después al aeropuerto. Sacan las maletas de la cajuela. Duniesky desea a la pareja cuando se aleja: ¡feliz viaje!, ¡ojalá vuelvan pronto!

-¡Venga, don Demós! Vamos a pagar el impuesto de salida.

-¿Cuál impuesto?

-El de la aduana. ¡Son veinte dólares!

-¿Pero chico, yo ya no tengo un solo dólar?

-¡Ese Demós! Que ya agarraste el acento caribeño.

-Joder, hombre. ¡Tanto y tanto oírlos! ¿Ya tú me entiendes? Pero ya en serio: quedé ordeñado, totalmente ordeñado, en todos sentidos, aquí en la isla... ¡Estoy sin... un dólar!

-¡Pasajeros del vuelo 483 con destino a la Ciudad de México favor de abordar el avión!

-Bueno... hay que resolver lo del impuesto porque ya anunciaron el vuelo. ¿Pero qué no te dijeron eso cuando te vendieron el boleto?

-Nunca me dijeron nada.

-Y bueno, la verdad, a mí se me olvidó, chico. Pero, venga. A ver cómo resolvemos esto. Porque si no pagas, tú no te puedes ir de aquí, de esta isla, chico.

-¡Coño, no me digas tú eso! ¡A qué me quedo yo aquí!

-¡Pasajeros del vuelo 483 con destino a la Ciudad de México favor de abordar el avión!

-Ah, se me ocurre una idea. ¡Ahora mismo! Ya sé, ¿por qué no les pides prestado a tus paisanos? ¡Se los pagas llegando! Mira... ahí vienen... ¡Oigan, señores! ¿Ya pagaron el impuesto?

-Sí, sí. Venimos de ahí señor Donosko. Apenas nos ajustó el

dinero. Nos vamos, porque si no nos deja el avión. Disculpen.

-¡Buen viaje señores! No te desesperes, Demós. No es tu culpa, creo. ¡Ni mía, hombre! Déjame ver. Ahora mismo resolvemos esto. Lo estoy resolviendo ahora mismo. Mi cabeza está trabajando a todo lo que da.

-¡Pasajeros del vuelo 483 con destino a la Ciudad de México favor de abordar el avión!

-Ya cállese, joder. Ya oímos. Ah, creo que estás salvado. Ahí viene un amigo que trabaja en otra agencia. ¡Qué pasó camarada!

-Aquí, como todo los día. Nada, trabajando viejo, trabajando. ¡Ya tú sabes!

-Oye, tú, chico, ¿tienes veinte dólares que me prestes?

-¿Y para qué tú los quieres?

-Para pagar el impuesto de mi amigo. Él viajó a través de mi agencia, pero allá nunca le dijeron que tenía que pagar al salir de la isla, ¡y la verdad!, a mí se me olvidó decirle sobre el último estirón de gasto en este paraíso, en el verdadero que existe en la Tierra. ¡Me confíe chico! Pero ahora tengo que resolver esto. ¿Tú me entiendes? ¡Por que si no lo deja el avión! ¡Está a punto de despegar!

-Vamo a ver. ¿Y cuándo tú me los paga?

-Más tarde, hombre, cuando vaya a casa. Ahorita no me da tiempo ir y volver con el dinero.

-¡Última llamada para los pasajeros del vuelo 483 con destino a la Ciudad de México!

-¡No me vaya a fallar, hermano!

-Por favor chico. ¡Estás hablando conmigo! ¡Un hombre de palabra! Tu dinero lo tienes antes del mediodía.

-Está bueno, vocifera el hombre. A ver, contemos las monedas.

-¡Antepenúltima llamada a los pasajeros Demóstenes Primero, Demóstenes Segundo, Demóstenes Tercero y Demóstenes Cuarto!

-¡Con que aquí andaban mis hermanos, joder! Y yo los hacía en alguna isla de Europa.

-¿Qué dices, Demós?

-No, nada, Lión.

Demóstenes se acuerda que guarda un billete de veinte dólares, y uno de cinco, como reserva, en la funda de la cámara fotográfica. Al amigo de Dunieski le agradecen la buena disposición de ayudar. Éste con Demóstenes corren a pagar el mentado impuesto. Luego se meten a la cafetería. Ambos brindan rápido con una taza de café aromático por la suerte de cada cual.

-Estos ingredientes le dan sabor a la vida, ¿no Lión?

-¡No te preocupes, Demós! ¡Pasa a veces! Vamos, que te deja el avión con destino a tu país incomparable. ¡Ojalá te hayas divertido en la verdadera isla del amor! ¡Espero sinceramente que vuelvas pronto!

-¡Penúltima llamada al pasajero del boleto 99 del vuelo 483 con destino a la Ciudad de México!

-Si por mí fuera me quedaba, la verdad. A lo mejor vuelvo pronto por una chica que conocí hace unos días. Una mujercita hermosa de dieciséis años. Vendría por ella y su mamá.

-Excelente, chico. Sólo asegúrate de que tenga la mayoría de edad, cumplidos los dieciséis años precisamente, para evitarte problemas con la ley. Y aquí te esperamos cuando eso pase. Nomás invitas a la boda. ¡Digo, si va a ver!

-Ya veremos. ¡Ah, mira! ¡Se me olvidaba! Aquí te doy esto. Ojalá te divierta, te entretenga. Disfruta de las apasionantes aventuras del protagonista principal.

-¡Venga Demós! ¡La famosa carpeta azul! ¡Voy a leer con mucho interés la historia! ¡Buen viaje!

-¡Gracias por todo! ¡León Toolstooii!

-¡Última llamada al pasajero Demóstenes Primero, propietario del boleto 99 del vuelo 483 con destino a la Ciudad de México!

Desaparece veloz el viajero entre los ríos de personas rumbo a la zona de embarque. El representante de la agencia de viajes petrificado al centro del recinto, sin poder contener por más tiempo la curiosidad, abre la carpeta con el ciento de hojas ¡escritas a mano!: desde pequeño algo muy en su interior le impulsa a intentar una proeza semejante: registrar sobre el papel, de puño y letra, la historia de su vida evanescente en una isla caliginosa ubicada a miles de kilómetros de la tierra cubierta de nieve de sus auténticos orígenes: labor tan fructífera realizada con gran devoción en el siglo pasado entre las estepas: sus ojos verdes llorosos recorren las líneas del único párrafo escrito en la hoja de encima: Fuertes toquidos suenan por todo el departamento. ¡Serán sus hermanos! ¡Desean respuestas a tantas dudas! ¡Saber sobre la novela! Si ya la inició, si tiene decidido a dónde viajar para escribirla. ¿Cuándo partirá? ¿Cuánto tiempo vacacionará fuera del país? Por las paredes de la sala se desvanecen los bostezos, resuellos, parpadeos del hombre. Abre la puerta metálica. El patio de la vecindad relampaguea con una claridad enceguecedora. Por ningún sitio destellan presencias humanas. Se encuentra a sí mismo reconciliado, consciente de constituir el político, el fotógrafo, el periodista, el escritor un único ser: dentro de un solo cuerpo. Revitalizado recupera las capacidades creativas literarias, fundidas todas las potencialidades en un solo talento predominante. Liberados los yoes, egos, conciencias de la realidad tridimensional: sana física, mental, espiritualmente al volver de un efímero viaje imaginario a cierta isla: purificada la escritura de este relato autobiográfico mediante su sabia mente creadora. Alcanza la iluminación en tal instante revelador: el escritor cultiva dentro de las parcelas de su cerebro el sublime don recibido de las estrellas desde su nacimiento: poder mental del universo, viva energía espiritual divina: de por vida en los campos semánticos de la realidad de este mundo: teclea dos títulos tentativos de la obra: en la computadora artificial: *En busca de una musa terrenal*; simultáneamente en la computadora cerebral: *Viaje curativo al Corazón del Ser.*